O9-BTM-460

Drei Kameraden

Erich Remarque

EDITED BY

WALDO C. PEEBLES

PROFESSOR OF GERMAN
BOSTON UNIVERSITY
BOSTON, MASS.

AMERICAN BOOK COMPANY

New York Cincinnati Chicago
Boston Atlanta Dallas San Francisco

E. P. 5

PEEBLES: DREI KAMERADEN

MADE IN U. S. A.

FOREWORD

Erich Maria Remarque was born in 1897, at Osnabrück, Westphalia, of a family of French émigrés, who had fled to the Rhineland during the French Revolution. During his school years he showed keen interest in music and an especial fondness for the works of Beethoven. He became a good musician. At the age of eighteen he joined the army and served throughout the four mad years of the first World War as a common soldier in the trenches.

Like the three comrades in his novel, Remarque found great difficulty in adjusting himself to civil life after the War. He attempted a wide variety of occupations. He became a teacher in a country school, a peddler, an organist in a madhouse, a motorcar dealer, a dramatic critic. But in all this activity he found no peace. He was subject to moods of profound depression, from which he tried to save himself by writing of his experiences as a soldier. The resulting novel, *Im Westen Nichts Neues* (*All Quiet on the Western Front*), published in 1929, became famous almost overnight. It has been translated into twenty-nine languages and gives promise of proving to be one of the best sellers of the century.

The sequel to *Im Westen Nichts Neues*, *Der Weg Zurück* (1931), presents a vivid picture of postwar Europe and of the difficult problems of adjustment that faced the German ex-soldier in his attempt to find his place in an uprooted civilization.

Drei Kameraden, Remarque's third novel, was published in Holland in 1936. Shortly after the publication of the German edition, the English version, *Three Comrades*, began to run serially in *Good Housekeeping*, appearing in the issues of that magazine from January to May, 1937. In the spring of 1938 a successful motion picture based on the novel was shown throughout the United States.

Remarque's style has always been simple, powerful, and direct. But it is at once apparent to one familiar with his work that his style has improved greatly since the writing of *Im Westen Nichts Neues*. The earlier book, for all its tremendous popularity, is scarcely more than a diary, a series of loosely connected episodes. With experience in writing Remarque has developed notably in power of characterization and in ability to construct a well-integrated plot.

Drei Kameraden was greeted with much favorable comment upon its appearance in America. J. D. Adams in *The New York Times* (May 2, 1937) says: "The qualities which distinguish Remarque as a writer are abundantly displayed in *Three Comrades*. Simplicity and strength, humor and tenderness, a poet's sensitive reactions both to the things that are tangible and to those that are not — all these have been united in his work from the beginning, but to them is added now, I think, a growing power of characterization." Bernard De Voto in *The Saturday Review of Literature* (May 1, 1937) calls *Three Comrades* "a memorable love story . . . a novel to be remembered much longer than most, an achievement of the first order." And finally *Forum* (June 10, 1937) refers to the book as "a skilled and exciting piece of storytelling, written not out of anguish for the dead but out of tenderness for the living."

It is clear that the author put much of himself and his

own experience into the novel. Like the three comrades he led a difficult, restless life after the War. Like Robby he was by turns automobile mechanic and pianist. His love of music is most clearly revealed in the closing chapter; his expert knowledge of automobiles is apparent throughout the book. Remarque, too, is a great lover of dogs and an Irish terrier figures in the story of the young lovers.

Since 1933 Remarque has made his home in Switzerland. In the spring of 1939 he took his first trip to America, making a prolonged visit to Hollywood. He has continued his writing. Recently a fourth book, *Flotsam*, dealing with the problems of refugees, has come to the attention of the public. This novel appeared in the issues of *Collier's*, beginning July 8, 1939.

This textbook edition of *Drei Kameraden* represents a rather drastic abridgment of the original. Ten chapters have been omitted *in toto*. There are also many briefer excisions. In making this abridgment most of the minor characters and the incidents relating to them have had to be sacrificed, but these are not essential to the story of the comrades and the love affair of Robby and Pat. Incidents have been retained that contribute to the peculiar charm of the book in its presentation of the German genius for friendship and for deriving rich enjoyment from little things, such as ramblings in the country and savory dinners at little rural inns. Needless to say, the text has been expurgated of everything that might render the story unsuitable for class use.

It is hoped that students of German will welcome a text based upon a worth-while book by an author of true literary distinction, and that the reading of *Drei Kameraden* will stimulate their interest in contemporary German letters.

CONTENTS

I

Meinen letzten Geburtstag hatte ich im Café International gefeiert. Da war ich ein Jahr lang Pianist gewesen. Dann hatte ich Köster und Lenz wieder getroffen. Und jetzt saß ich hier in der Aurewe: — Auto-Reparatur-Werkstatt Köster und Co. Der Co. waren Lenz und ich, aber die Werkstatt gehörte eigentlich Köster allein. Er war früher unser Schulkamerad und unser Kompagnieführer gewesen; dann Flugzeugführer, später eine Zeitlang Student, dann Rennfahrer, — und schließlich hatte er die Bude hier gekauft. Erst war Lenz, der sich einige Jahre in Südamerika herumgetrieben hatte, dazugekommen; — dann ich.

Draußen quietschte das Tor. Die Tür flog auf. Gottfried Lenz stand im Rahmen, lang, mager, mit strohblonder Mähne und einer Nase, die für einen ganz andern Mann gepaßt hätte. „Robby," brüllte er, „alter Speckjäger, steh auf und nimm die Knochen zusammen! Deine Vorgesetzten wollen mit dir reden!"

„Herrgott!" Ich stand auf. „Ich habe gehofft, ihr hätten nicht dran gedacht! Machts gnädig, Kinder!"[1]

„Das könnte dir so passen!" Gottfried legte ein Paket auf den Tisch, in dem es mächtig klirrte. Köster kam hinter ihm drein. Lenz baute sich vor mir auf.

Er öffnete das Paket und stellte die Flaschen einzeln in die Morgensonne. Sie schimmerten wie Bernstein. „Sieht wunderbar aus," sagte ich. „Wo hast du die bloß her, Otto?"

[1] Machts gnädig, Kinder! *Go easy, boys!*

Köster lachte. „War eine verwickelte Sache. Zu lang zum Erzählen. Aber sag mal, wie fühlst du dich denn? Wie dreißig?“

Ich winkte ab. „Wie sechzehn und fünfzig gleichzeitig. Nicht besonders.“

Wir arbeiteten, bis es dämmerig wurde. Dann wuschen wir uns und zogen uns um. Lenz sah begehrlich zu der Flaschenreihe hinüber. „Wollen wir einer den Hals brechen?“

„Das muß Robby entscheiden,“ sagte Köster. „Es ist nicht fein, Gottfried, dem Beschenkten so plump mit dem Zaunpfahl zu winken.“

„Noch weniger fein ist es, die Schenker verdursten zu lassen,“ erwiderte Lenz und machte eine Flasche auf.

Der Geruch verbreitete sich sofort durch die ganze Werkstatt.

„Heiliger Moses,“ sagte Gottfried.

Wir schnupperten alle. „Phantastisch, Otto. Man muß schon in die hohe Poesie gehen, um da würdige Vergleiche zu finden.“

„Zu schade für die dunkle Bude hier!“ entschied Lenz. „Wißt ihr was? Wir fahren raus, essen irgendwo zu Abend und nehmen die Flaschen mit. In Gottes freier Natur wollen wir sie aussaufen!“

„Glänzend.“

Wir schoben den Cadillac beiseite, an dem wir nachmittags gearbeitet hatten. Hinter ihm stand ein sonderbares Ding auf Rädern. Es war der Rennwagen Otto Kösters, der Stolz der Werkstatt.

Köster hatte den Wagen, eine hochbordige, alte Kiste, seinerzeit auf einer Auktion für ein Butterbrot gekauft. Fachleute, die ihn damals sahen, bezeichneten ihn ohne Zögern als interessantes Stück für ein Verkehrsmuseum.

Er zerlegte den Wagen wie eine Taschenuhr und arbeitete Monate hindurch bis in die Nächte daran herum. Doch so tadellos der Wagen nun innen auch war, — von außen sah er immer noch wüst aus. Wir hatten für den täglichen Gebrauch eine besonders altmodische Karrosserie, die gerade paßte, darauf gesetzt; der Lack war blind, die Kotflügel hatten Risse, und das Verdeck war reichlich zehn Jahre alt. Wir hätten das alles besser machen können; — aber wir hatten einen Grund, es nicht zu tun.

Der Wagen hieß Karl. Karl, das Chausseegespenst.

Karl schnob die Chaussee entlang.

„Otto," sagte ich, „da kommt ein Opfer."

Hinter uns hupte ungeduldig ein schwerer Buick. Er holte rasch auf. Bald lagen die Kühler nebeneinander. Der Mann am Steuer sah lässig herüber. Sein Blick streifte von oben herab den ruppigen Karl. Dann wendete er sich ab und hatte uns schon vergessen.

Ein paar Sekunden später mußte er feststellen, daß Karl sich immer noch auf gleicher Höhe mit ihm befand.[2] Er rückte sich etwas zurecht, blickte uns amüsiert an und gab Gas. Aber Karl wankte nicht. Wie ein Terrier neben einer Dogge hielt er sich weiter klein und flink neben der strahlenden Lokomotive aus Nickel und Lack.

Der Mann faßte das Steuerrad fester. Er war vollkommen ahnungslos und verzog spöttisch die Lippen. Man sah, daß er uns jetzt zeigen wollte, was sein Schlitten leistete. Er trat so kräftig auf den Gashebel, daß der Auspuff zwitscherte wie ein Feld voll Lerchen im Sommer. Doch es nutzte nichts; er kam nicht vorbei. Wie verhext klebte Karl häßlich und unscheinbar an seiner Seite. Der Mann starrte erstaunt zu uns herunter. Er begriff nicht,

[2] daß Karl sich immer noch auf gleicher Höhe mit ihm befand: *that Karl was running him neck and neck.*

daß bei einem Tempo von über hundert Kilometern [3] der altmodische Kasten unter ihm nicht abzuschütteln war. Verwundert blickte er auf seinen Tachometer, als könne der nicht stimmen. Dann gab er Vollgas.

Die Wagen rasten jetzt genau nebeneinander über die lange, gerade Chaussee. Nach ein paar hundert Metern kam ein Lastwagen aus der entgegengesetzten Richtung angetost. Der Buick mußte hinter uns zurück, um auszuweichen. Kaum war er wieder neben Karl, da fegte ein Beerdigungsauto mit wehenden Kranzschleifen heran, und er mußte abermals zurück. Dann wurde die Sicht frei.

Der Mann am Steuer hatte inzwischen all seinen Hochmut verloren; ärgerlich, die Lippen zusammengepreßt, saß er vorgebeugt da — das Rennfieber hatte ihn gepackt, und plötzlich hing die Ehre seines Lebens davon ab, um keinen Preis gegen den Kläffer neben sich klein beizugeben.

Wir dagegen hockten scheinbar gleichgültig auf unseren Sitzen. Der Buick existierte für uns gar nicht. Köster blickte ruhig auf die Straße, ich schaute gelangweilt in die Luft; und Lenz, obschon er ein Bündel Spannung war, zog eine Zeitung hervor und tat, als ob es nichts Wichtigeres für ihn gäbe, als gerade jetzt zu lesen.

Ein paar Minuten später blinzelte Köster uns zu. Karl verlor unmerklich an Tempo, und der Buick rückte langsam vor. Seine breiten, blinkenden Kotflügel drückten sich an uns vorbei. Der Auspuff donnerte uns blauen Qualm in die Gesichter. Allmählich gewann er ungefähr zwanzig Meter, — da erschien auch schon, wie wir es erwartet hatten, das Gesicht des Besitzers im Fenster und grinste offenen Triumph. Er glaubte, gewonnen zu haben.

Aber der Mann tat noch ein Übriges. Er konnte sich eine Revanche nicht verkneifen. Er winkte uns zu, doch

[3] über hundert Kilometern: *over sixty miles an hour.*

nachzukommen. Er winkte sogar besonders nachlässig und siegessicher.

„Otto!" sagte Lenz mahnend.

Aber er brauchte nichts zu sagen. Karl machte im selben Moment schon einen Sprung. Der Kompressor pfiff los. Und plötzlich verschwand die winkende Hand im Fenster — denn Karl folgte der Aufforderung; er kam. Er kam sogar unaufhaltsam, er holte alles wieder auf — und nun, zum erstenmale, nahmen wir Notiz von dem fremden Wagen. Unschuldig fragend schauten wir hinauf zu dem Mann am Steuer; wir wollten gerne wissen, weshalb er uns gewinkt hatte. Doch der sah krampfhaft nach der anderen Seite, und Karl zog jetzt erst mit vollem Gas davon, starrend vor Schmutz, mit wehenden Kotflügeln, ein siegreicher Dreckfink.

Wir hielten vor einem kleinen Gasthaus und kletterten aus dem Wagen. Aus dem kleinen Gasthaus drang der Duft gebratener Leber. Auch Zwiebeln waren dabei. Uns schwoll das Herz.

Lenz stürzte dem Geruch nach ins Haus. Verklärt kam er zurück. „Ihr müßtet die Bratkartoffeln sehen! Rasch, sonst ist das Beste runter!"

In diesem Augenblick summte noch ein Wagen heran. Wie angenagelt blieben wir stehen. Es war der Buick. Er hielt mit scharfem Ruck neben Karl. „Hoppla!" sagte Lenz. Wir hatten schon öfter Schlägereien wegen ähnlicher Sachen gehabt.

Der Mann stieg aus. Er war groß und schwer und trug einen weiten, braunen Raglan aus Kamelhaar. Mißvergnügt schielte er nach Karl, streifte dann ein Paar dicker, gelber Handschuhe ab und kam heran.

„Is denn das für 'n Modell,[4] Ihr Wagen da?" fragte er

[4] Is denn das für 'n Modell? *What kind of model is that?*

Köster, der ihm am nächsten stand, mit einem Gesicht wie eine Essiggurke.

Wir sahen ihn alle drei eine Weile schweigend an. Sicherlich hielt er uns für Monteure im Sonntagsanzug auf einer Schwarzfahrt. „Haben Sie etwas gesagt?“ fragte Otto dann schließlich zweifelnd, um ihn zu belehren, daß er höflicher sein könnte.

Der Mann wurde rot. „Ich habe nach dem Wagen da gefragt,“ erklärte er brummig im selben Tone wie vorher.

Lenz richtete sich auf. Seine große Nase zuckte. Er hielt außerordentlich auf Höflichkeit bei anderen.[5] Aber bevor er den Mund auftun konnte, öffnete sich plötzlich, wie durch eine Geisterhand, die zweite Tür des Buicks; — ein schmaler Fuß glitt heraus, ein schmales Knie folgte, — dann stieg ein Mädchen aus und schritt langsam auf uns zu.

Überrascht blickten wir uns an. Wir hatten vorher nicht gesehen, daß noch jemand im Wagen war. Lenz veränderte sofort seine Haltung. Er lächelte über sein ganzes sommersprossiges Gesicht. Wir lächelten auf einmal alle, weiß der Kuckuck, warum.[6]

Der Dicke schaute uns verblüfft an. Er wurde unsicher und wußte scheinbar nicht mehr, was er aus der Sache machen sollte. „Binding,“ sagte er schließlich, mit einer halben Verbeugung, als könne er sich an seinem Namen festhalten.

Das Mädchen war jetzt ganz herangekommen. Wir wurden noch freundlicher. „Zeig doch mal den Wagen, Otto,“ sagte Lenz mit einem raschen Blick zu Köster hin.

„Warum nicht,“ erwiderte Otto und gab den Blick belustigt zurück.

[5] Er hielt außerordentlich auf Höflichkeit bei anderen: *He was extraordinarily particular about politeness in others.*

[6] weiß der Kuckuck, warum: *goodness knows why.*

„Ich würde ihn wirklich gern mal sehen," sagte Binding bereits versöhnlicher. „Muß verdammt schnell sein. Hat mich ja nur so weggepustet."

Beide gingen zum Parkplatz hinüber, und Köster klappte Karls Motorhaube hoch.

Das Mädchen ging nicht mit. Es blieb schlank und schweigend neben Lenz und mir in der Dämmerung stehen. Ich erwartete, daß Gottfried die Gelegenheit ausnützen und losgehen würde wie eine Bombe. Er war für solche Situationen.[7] Doch er schien die Sprache verloren zu haben.

„Entschuldigen Sie bitte," sagte ich schließlich. „Wir haben nicht gesehen, daß Sie im Wagen waren. Sonst hätten wir den Unfug vorhin sicher nicht gemacht."

Das Mädchen sah mich an. „Aber warum denn nicht?" erwiderte sie ruhig, mit einer überraschend dunklen Stimme. „So schlimm war das doch garnicht."

„Schlimm nicht, aber auch nicht ganz anständig. Der Wagen da läuft ungefähr zweihundert Kilometer."[8]

Sie beugte sich etwas vor und steckte die Hände in die Taschen ihres Mantels. „Zweihundert Kilometer?"

„Genau Hundertneunundachtzig Komma zwei,[9] amtlich abgestoppt," erklärte Lenz, wie aus der Pistole geschossen, stolz.

Sie lachte. „Und wir dachten, ungefähr so sechzig, siebzig."

„Sehen Sie —" sagte ich, „das konnten Sie doch nicht wissen."

„Nein," erwiderte sie, „das konnten wir wirklich nicht wissen. Wir glaubten, der Buick wäre doppelt so schnell wie Ihr Wagen."

[7] Er war für solche Situationen: *He was made for such situations.*

[8] läuft ungefähr zweihundert Kilometer: *can do about 200 kilometers.*

[9] Hundertneunundachtzig Komma zwei: *189,2.* The comma replaces the decimal point in German usage.

„Das schon —“ [10] ich stieß mit dem Fuß einen abgebrochenen Zweig beiseite — „aber wir hatten einen zu großen Vorteil. Und Herr Binding drüben hat sich ja wohl auch ziemlich über uns geärgert.“

Sie lachte. „Einen Augenblick sicher. Aber man muß auch verlieren können; wie sollte man sonst leben.“

„Gewiß —“

Es entstand eine Pause. Ich blickte zu Lenz hinüber. Aber der letzte Romantiker grinste nur, zuckte mit der Nase und ließ mich im Stich.[11]

„Wunderbares Wetter,“ sagte ich endlich, um das Schweigen zu unterbrechen.

„Ja, herrlich,“ erwiderte das Mädchen.

„Und so milde,“ fügte Lenz hinzu.

„Sogar ungewöhnlich milde,“ ergänzte ich.

Es entstand eine neue Pause. Das Mädchen mußte uns für ziemliche Schafsköpfe halten; aber mir fiel beim besten Willen nichts mehr ein. Lenz schnupperte in die Gegend. „Geschmorte Äpfel,“ sagte er gefühlvoll, „es scheint auch geschmorte Äpfel zur Leber zu geben. Eine Delikatesse.“

„Ohne Zweifel,“ gab ich zu und verfluchte uns beide.

Köster und Binding kamen zurück. Binding war in den paar Minuten ein ganz anderer Mann geworden. Er schien einer dieser Autonarren zu sein, die ganz selig sind, wenn sie irgendwo einen Fachmann finden mit dem sie reden können.

„Wollen wir zusammen essen?“ fragte er.

„Selbstverständlich,“ erwiderte Lenz.

Wir folgten den andern. Sie saßen schon am Tisch. Die Wirtin kam gerade mit der Leber und den Bratkartoffeln. Binding erwies sich als wahrer Sturzbach von einem Redner.

[10] Das schon: *True.*
[11] ließ mich im Stich: *left me in the lurch.*

Es war erstaunlich, was er alles über Automobile zu sagen hatte. Als er hörte, daß Otto auch Rennen gefahren hatte, kannte seine Zuneigung überhaupt keine Grenzen mehr.

Das Mädchen saß zwischen Lenz und mir. Es hatte den Mantel ausgezogen und trug darunter ein graues englisches Kostüm. Ihr Haar war braun und seidig und hatte im Lampenlicht einen bernsteinfarbenen Schimmer. Die Schultern waren sehr gerade, aber etwas vorgebeugt, die Hände schmal, überlang und eher etwas knochig als weich. Das Gesicht war schmal und blaß, aber die großen Augen gaben ihm eine fast leidenschaftliche Kraft. Sie sah sehr gut aus, fand ich; — aber ich dachte mir nichts weiter dabei.

Lenz dagegen war jetzt Feuer und Flamme. Er war völlig verwandelt gegen vorhin.[12] Er ließ ein Feuerwerk von Einfällen los und beherrschte mit Binding zusammen den Tisch. Ich saß nur so dabei und konnte mich wenig bemerkbar machen; höchstens einmal eine Schüssel reichen oder Zigaretten anbieten. Und mit Binding anstoßen. Das tat ich ziemlich oft. Lenz schlug sich plötzlich vor die Stirn:[13] „Der Rum! Robby, hol mal unsern Geburtstagsrum!"

„Geburtstag? Hat denn jemand Geburtstag?" fragte das Mädchen.

„Ich," sagte ich. „Ich werde schon den ganzen Tag damit verfolgt."

„Verfolgt? Dann wollen Sie also nicht, daß man Ihnen gratuliert?"

„Doch," sagte ich, „gratulieren ist was anderes."

„Also alles Gute!"[14]

[12] gegen vorhin: *from what he had been just now.*
[13] schlug sich . . . vor die Stirn: *clapped his hand to his forehead.*
[14] alles Gute: *all good wishes!*

Ich hielt einen Augenblick ihre Hand in meiner und spürte ihren warmen, trockenen Druck. Dann ging ich hinaus, um den Rum zu holen. Die Nacht stand groß und schweigend um das kleine Haus. Die ledernen Sitze unseres Wagens waren feucht. Ich blieb stehen und sah nach dem Horizont, wo der rötliche Schein der Stadt am Himmel stand. Ich wäre gern noch draußen geblieben; aber ich hörte Lenz schon rufen.

Binding vertrug den Rum nicht. Nach dem zweiten Glas merkte man es schon. Er schwankte in den Garten hinaus. Ich stand auf und ging mit Lenz an die Theke. Er verlangte eine Flasche Gin. „Großartiges Mädchen, was?" sagte er.

„Weiß ich nicht, Gottfried," erwiderte ich. „Habe nicht so drauf geachtet."

Er betrachtete mich eine Weile mit seinen blauen Augen und schüttelte dann den glühenden Kopf. „Wozu lebst du eigentlich, sag mal, Baby?"

„Das wollte ich auch schon lange mal wissen," antwortete ich.

Er lachte. „Das könnte dir so passen! So leicht wirds einem doch nicht gemacht. Aber jetzt werde ich zunächst mal herauspolken, wie das Mädchen zu dem dicken Autokatalog draußen steht."

Er folgte Binding in den Garten. Nach einiger Zeit kamen beide an die Theke zurück. Die Auskunft mußte gut gewesen sein, denn Gottfried, der scheinbar die Bahn jetzt frei sah, schloß sich in heller Begeisterung darüber stürmisch an Binding an. Die Beiden holten sich eine neue Ginflasche und duzten sich eine Stunde später. Lenz hatte, wenn er in guter Laune war, immer etwas so Hinreißendes, daß man ihm schwer widerstehen konnte. Er konnte sich selbst dann auch nicht widerstehen. Jetzt überflutete er Binding einfach, und bald sangen beide in der Laube draußen Soldatenlieder. Das Mädchen hatte der letzte Romantiker darüber vollständig vergessen.

Wir drei blieben allein in der Wirtsstube. Es war plötzlich sehr still. Die Schwarzwälderuhr tickte. Die Wirtin räumte ab und blickte mütterlich auf uns herunter. Am Ofen dehnte sich ein brauner Jagdhund. Manchmal bellte er im Schlaf, leise, hoch und klagend. Draußen strich der Wind am Fenster vorbei.

Ich sah Köster an. Ich hörte, wie er mit dem Mädchen sprach; aber ich achtete nicht auf die Worte. Draußen sangen Lenz und Binding das Lied vom Argonnerwald.[15] Neben mir sprach das unbekannte Mädchen; — es sprach leise und langsam mit dieser dunklen, erregenden, etwas rauhen Stimme. Ich trank mein Glas aus.

Die beiden andern kamen wieder herein. Sie waren nüchterner geworden in der frischen Luft. Wir brachen auf. Ich half dem Mädchen in den Mantel. Sie stand dicht vor mir, geschmeidig sich in den Schultern dehnend, den Kopf schräg nach hinten gelegt, den Mund leicht geöffnet, mit einem Lächeln zur Zimmerdecke, das niemand galt. Ich ließ einen Moment den Mantel sinken. Wo hatte ich nur die ganze Zeit meine Augen gehabt? Hatte ich denn geschlafen? Ich verstand plötzlich die Begeisterung von Lenz.

Sie drehte sich fragend halb um. Ich hob rasch den Mantel wieder hoch und schaute zu Binding hinüber, der kirschrot und immer noch etwas glasig neben dem Tisch stand. „Glauben Sie, daß er fahren kann?“ fragte ich.

„Ich denke schon —“

[15] das Lied vom Argonnerwald: *the song of the Argonne Forest,* scene of World War battles in France.

Ich sah sie immer noch an. „Wenn er nicht sicher genug ist, kann einer von uns mitfahren."

Sie zog ihre Puderdose hervor und klappte sie auf. „Es wird schon gehen," sagte sie. „Er fährt viel besser, wenn er getrunken hat."

„Besser und wahrscheinlich unvorsichtiger," erwiderte ich.

Sie blickte mich über den Rand ihres kleinen Spiegels an.

„Hoffentlich geht es gut," sagte ich. Es war etwas übertrieben, denn Binding stand ganz leidlich auf den Beinen. Aber ich wollte irgendetwas tun, damit sie nicht so wegging. „Kann ich morgen einmal bei Ihnen anrufen und hören, wie es geworden ist?" fragte ich.

Sie antwortete nicht gleich. „Wir haben mit unserer Trinkerei doch so eine gewisse Verantwortung dafür," sagte ich weiter. „Besonders ich mit meinem Geburtstagsrum."

Sie lachte. „Nun gut, wenn Sie wollen. Westen 2796."

Ich schrieb mir die Nummer draußen gleich auf. Wir sahen zu, wie Binding abfuhr, und tranken noch ein letztes Glas. Dann ließen wir Karl losheulen.[16] Er fegte durch den leichten Märznebel, wir atmeten rasch, die Stadt kam uns entgegen.

II

Der nächste Tag war ein Sonntag. Ich schlief lange und erwachte erst, als die Sonne auf mein Bett schien. Ich sprang rasch auf und riß die Fenster auf. Draußen war es

[16] Dann ließen wir Karl losheulen: *Then we let Karl off the leash.*

frisch und klar. Ich stellte den Spirituskocher auf die Bank und suchte die Dose mit Kaffee. Meine Wirtin, Frau Zalewski, hatte mir erlaubt, im Zimmer meinen eigenen Kaffee zu kochen. Ihrer war zu dünn. Besonders wenn man abends getrunken hatte.

Ich zog mich sehr langsam an. Das gab mir das Gefühl von Sonntag. Ich wusch mich, ich wanderte im Zimmer umher, ich las die Zeitung, ich brühte den Kaffee auf, ich stand am Fenster und sah zu, wie die Straße gesprengt wurde, ich hörte die Vögel singen in den hohen Friedhofsbäumen. Ich wählte zwischen meinen paar Hemden und Strümpfen, als hätte ich zwanzigmal soviel, ich leerte pfeifend meine Taschen aus; — Kleingeld, Messer, Schlüssel, Zigaretten — und da der Zettel von gestern mit dem Namen des Mädchens und der Telefonnummer. Patrice Hollmann. Ein merkwürdiger Vorname, — Patrice.[1] Ich legte den Zettel auf den Tisch. War das wirklich erst gestern gewesen? Wie weit war das schon wieder weg.

Ich steckte den Zettel unter einen Pack Bücher. Anrufen? Vielleicht, — vielleicht auch nicht.

Tagsüber trieb ich mich umher. Ich wußte nicht recht, was ich machen sollte und hielt es nirgendwo lange aus. Am späten Nachmittag ging ich in unsere Werkstatt. Köster war da. Er arbeitete an dem Cadillac. Wir hatten ihn vor einiger Zeit für einen Spottpreis alt gekauft.[2] Jetzt war er von uns gründlich überholt worden, und Köster gab ihm gerade den letzten Schmiß. Es war eine Spekulation. Wir hofften, gut damit zu verdienen. Ich zweifelte, ob es ein Geschäft sein würde.[3] Bei den schlechten Zeiten wollten alle Leute kleine Wagen kaufen, aber nicht so einen

[1] Patrice: *Patricia.*
[2] alt gekauft: *bought secondhand.*
[3] ob es ein Geschäft sein würde: *whether we would find a purchaser.*

Omnibus. „Wir bleiben darauf sitzen, Otto," sagte ich.

Aber Köster war zuversichtlich. „Auf mittleren Wagen bleibt man sitzen,[4] Robby," erklärte er. „Billige werden gekauft und ganz teure auch. Es gibt immer noch Leute, die Geld haben. Oder so aussehen wollen."

„Wo ist Gottfried?" fragte ich.

„In irgendeiner politischen Versammlung —"

„Verrückt! Was will er denn da?"

Köster lachte. „Das weiß er selbst nicht. Wahrscheinlich sitzt ihm das Frühjahr in den Knochen. Da muß er ja immer irgendwas Neues haben."

„Kann sein," sagte ich. „Komm, ich helf dir etwas."

Wir murksten herum, bis es dunkel wurde. „Schluß jetzt," [5] sagte Köster. Wir wuschen uns. „Weißt du, was ich hier habe?" fragte er und klopfte auf seine Brieftasche.

„Na?"

„Karten zum Boxen heute abend. Zwei. Du gehst doch mit, was?"

Ich zögerte. Er sah mich erstaunt an. „Stilling boxt," sagte er, „gegen Walker. Wird ein guter Kampf."

„Nimm Gottfried mit," schlug ich vor und fand mich lächerlich, daß ich nicht mitging. Aber ich hatte keine rechte Lust, ich wußte nicht warum.

„Hast du was vor?" fragte er.

„Nein."

Er sah mich an.

„Ich gehe mal nach Hause," sagte ich. „Briefe schreiben und sowas. Muß auch mal sein —"

„Bist du krank?" fragte er besorgt.

[4] Auf mittleren Wagen bleibt man sitzen: *One gets left with medium-sized cars.*

[5] Schluß jetzt: *Time to stop now.*

„Ach wo,[6] keine Spur. Habe vielleicht auch den Frühling etwas in den Knochen."

„Na schön. Wie du willst."

Ich schlenderte nach Hause. Aber als ich in meinem Zimmer saß, wußte ich auch nicht, was ich anfangen sollte. Unschlüssig wanderte ich umher. Ich verstand jetzt nicht mehr, weshalb ich eigentlich hierhergewollt hatte. Ich überlegte, ob ich etwas trinken wollte. Aber ich wollte nicht. Ich setzte mich ans Fenster und schaute auf die Straße.

Draußen brannten schon die Laternen; aber es war noch nicht dunkel genug. Ich kramte unter meinen Büchern nach dem Zettel mit der Telefonnummer. Schließlich, — anrufen konnte ich ja mal. Hatte es doch sogar halb und halb versprochen. Wahrscheinlich war das Mädchen auch garnicht zu Hause.

Ich ging zum Vorplatz, wo das Telefon stand, hob den Hörer ab und sagte die Nummer. Während ich auf Antwort wartete, fühlte ich, wie eine weiche Welle, eine leichte Erwartung aus der schwarzen Muschel sich heben. Das Mädchen war da. Als ihre dunkle, etwas rauhe Stimme geisterhaft plötzlich in Frau Zalewskis Vorzimmer leise und etwas langsam, als dächte sie vor jedem Worte nach, sprach, verschwand auf einmal meine Unzufriedenheit. Ich hängte wieder an, nachdem ich, anstatt mich nur zu erkundigen, eine Verabredung für übermorgen abgemacht hatte. Plötzlich erschien mir alles nicht mehr so stumpf. „Verrückt," dachte ich und schüttelte den Kopf. Dann hob ich noch einmal den Hörer auf und rief Köster an. „Hast du die Karten noch, Otto?"

„Ja."

„Gut. Ich gehe doch mit zum Boxen."

[6] Ach wo: *The idea of such a thing!*

III

Am Dienstag vormittag saßen wir vor unserer Werkstatt im Hof und frühstückten. Der Cadillac war fertig. Lenz hielt ein Blatt Papier in der Hand und schaute uns triumphierend an. Er war unser Reklamechef und hatte Köster und mir gerade ein Inserat vorgelesen, das er für den Verkauf des Wagens verfaßt hatte. Es begann mit den Worten: „Urlaub an südlichen Gestaden im Luxusgefährt" und war ein Mittelding zwischen einem Gedicht und einer Hymne.

Köster und ich schwiegen eine Weile. Wir mußten uns von dieser Sturzflut an blumiger Phantasie erst erholen. Lenz hielt uns für überwältigt. „Das Ding hat Poesie und Schmiß, was?" fragte er stolz. „Im Zeitalter der Sachlichkeit muß man romantisch sein, das ist der Trick. Gegensätze ziehen an."

„Nicht wenn es sich um Geld handelt," erwiderte ich.

„Automobile kauft man nicht, um Geld anzulegen, Knabe," erklärte Gottfried abweisend. „Man kauft sie, um Geld auszugeben; und da beginnt bereits die Romantik, wenigstens für den Geschäftsmann. Für die meisten Leute hört sie sogar damit auf. Was meinst du, Otto?"

„Weißt du —" begann Köster vorsichtig.

„Wozu lange reden," unterbrach ich ihn, „das ist ein Inserat für einen Kurort oder eine Schönheitscreme, aber nicht für ein Automobil."

Lenz öffnete den Mund.

„Augenblick,"[1] fuhr ich fort. „Uns hältst du ja doch für befangen, Gottfried. Ich mache dir deshalb einen Vorschlag: fragen wir mal Jupp. Das ist die Stimme des Volkes!"

[1] Augenblick: *Just a moment.*

Jupp war unser einziger Angestellter, ein Junge von fünfzehn Jahren, der eine Art Lehrlingsstelle bei uns hatte. Er bediente die Benzinpumpe, besorgte das Frühstück und räumte abends auf. Er war klein, übersät mit Sommersprossen und hatte die größten abstehenden Ohren, die ich kannte. Köster erklärte, wenn Jupp aus einem Flugzeug fiele, könne ihm nichts geschehen. Er käme durch die Ohren [2] in sanftem Gleitflug zur Erde.

Wir holten ihn heran. Lenz las ihm das Inserat vor. „Würdest du dich für so einen Wagen interessieren, Jupp?" fragte Köster.

„Einen Wagen?" fragte Jupp zurück.

Ich lachte. „Natürlich einen Wagen," knurrte Gottfried. „Meinst du ein Heupferd?"

„Hat er Schnellgang und hydraulische Bremsen?" erkundigte Jupp sich ungerührt.

„Schafskopf, es ist doch unser Cadillac," fauchte Lenz.

„Nicht möglich," erwiderte Jupp und grinste von einem Ohr zum andern.

„Da hast dus,[3] Gottfried!" sagte Köster, „das ist die Romantik von heute."

„Scher dich wieder an deine Pumpe, Jupp, verfluchter Sohn des zwanzigsten Jahrhunderts!"

Lenz verschwand mißmutig in der Bude, um dem Inserat bei aller Wahrung seines poetischen Schwunges doch etwas mehr technischen Halt zu geben.

Nachmittags ging ich unter einem Vorwand nach Hause. Ich war um fünf Uhr mit Patrice Hollmann verabredet, aber ich sagte in der Werkstatt nichts davon. Nicht, daß ich es verbergen wollte; aber es kam mir auf einmal ziemlich unwahrscheinlich vor.

[2] durch die Ohren: *by means of his ears.*
[3] Da hast dus = Da hast du es.

Sie hatte mir ein Café als Treffpunkt angegeben. Ich kannte es nicht; ich wußte nur, daß es ein kleines, elegantes Lokal war. Ahnungslos ging ich hin. Aber ich prallte erschreckt zurück, als ich eintrat. Der Raum war überfüllt mit schwätzenden Frauen. Ich war in eine typische Damenkonditorei geraten.

Mit Mühe gelang es mir, einen Tisch, der gerade frei wurde, zu ergattern. Unbehaglich blickte ich umher. Außer mir waren nur noch zwei Männer da, und die gefielen mir nicht.

„Kaffee, Tee, Schokolade?" fragte der Kellner und wedelte mit seiner Serviette eine Anzahl Kuchenkrümel von der Tischplatte auf meinen Anzug.

„Einen großen Kognak," erwiderte ich.

Er brachte ihn. Aber er brachte gleichzeitig ein Kaffeekränzchen mit, das Platz suchte, an der Spitze eine Athletin reiferen Alters. „Vier Plätze, bitte!" sagte er und zeigte auf meinen Tisch.

„Halt," antwortete ich, „der Tisch ist nicht frei. Ich erwarte jemand."

„Das geht nicht, mein Herr!" sagte der Kellner. „Um diese Zeit können keine Plätze reserviert werden."

Ich sah ihn an. Dann sah ich die Athletin an, die jetzt dicht am Tisch stand und eine Sessellehne umklammerte. Ich sah ihr Gesicht und verzichtete auf jeden weiteren Widerstand.

„Können Sie mir wenigstens noch einen Kognak bringen?" knurrte ich den Kellner an.

„Sehr wohl, mein Herr. Wieder einen großen?"

„Ja."

„Bitte sehr."[4] Er verbeugte sich. „Es ist doch ein Tisch für sechs Personen, mein Herr," sagte er entschuldigend.

[4] Bitte sehr: *Certainly*.

„Schon recht.[5] Bringen Sie nur den Kognak."

Die Athletin starrte auf meinen Schnaps, als wäre er ein verfaulter Fisch. Um sie zu ärgern, bestellte ich noch einen und starrte zurück. Das ganze Unternehmen erschien mir plötzlich lächerlich. Was wollte ich hier? Und was wollte ich von dem Mädchen? Ich wußte nicht einmal, ob ich sie in all dem Durcheinander und Geschwätz überhaupt wiedererkennen würde.

„Salute!" sagte jemand hinter mir.

Ich fuhr auf. Da stand sie und lachte. „Sie fangen ja rechtzeitig an!"

Ich stellte das Glas, das ich immer noch in der Hand hielt, auf den Tisch. Ich war plötzlich verwirrt. Das Mädchen sah ganz anders aus, als ich es in der Erinnerung hatte.

„Wo sind Sie denn nur so geisterhaft hergekommen? Ich habe doch die ganze Zeit die Tür beobachtet."

Sie zeigte nach rechts hinüber. „Dort drüben ist noch ein Eingang. Aber ich habe mich verspätet. Warten Sie schon lange?"

„Gar nicht. Höchstens zwei, drei Minuten. Ich bin auch erst eben gekommen."

Das Kaffeekränzchen an meinem Tisch wurde still. Ich spürte die abschätzenden Blicke von vier soliden Müttern im Nacken. „Wollen wir hier bleiben?" fragte ich.

Das Mädchen streifte mit einem raschen Blick den Tisch. Ihr Mund zuckte. Sie sah mich belustigt an. „Ich fürchte, Cafés sind überall gleich."

Ich schüttelte den Kopf. „Wenn sie leer sind, sind sie besser. Wir könnten am besten in eine Bar gehen."

„In eine Bar? Gibt es denn Bars, die am hellen Tage offen sind?"

[5] Schon recht: *Very good.*

„Ich weiß eine," sagte ich. „Sie ist allerdings sehr ruhig. Wenn Sie das mögen —"

„Also gehen wir," sagte sie.

Ich winkte dem Kellner. „Drei große Kognaks," brüllte der Unglücksvogel mit einer Stimme, als wollte er einem Gast im Grabe die Rechnung machen. „Drei Mark dreißig!"

Das Mädchen drehte sich um. „Drei Kognaks in drei Minuten? Ganz schönes Tempo!" [6]

„Es sind noch zwei von gestern dabei."

„So ein Lügner," zischte die Athletin am Tisch hinter mir her. Sie hatte lange geschwiegen.

Ich wandte mich um und verbeugte mich. „Ein gesegnetes Weihnachtsfest,[7] meine Damen!" Dann ging ich rasch.

Die Bar war sicherer Boden für mich. Fred, der Mixer, stand hinter der Theke und polierte gerade die großen Gläser für Kognak, als wir hereinkamen. Er begrüßte mich, als sähe er mich zum erstenmale.

Wir setzten uns in eine Ecke. Der Mixer kam. „Was möchten Sie trinken?" fragte ich das Mädchen.

„Vielleicht einen Martini," erwiderte sie. „Einen trokkenen Martini."

„Darin ist Fred Spezialist," erklärte ich.

Ich war etwas verlegen und wußte nicht recht, wie ich ein Gespräch anfangen sollte. Ich kannte das Mädchen ja überhaupt nicht, und je länger ich es ansah, umso fremder erschien es mir. Es war lange her, daß [8] ich mit jemand so zusammen gewesen war; ich hatte keine Übung mehr darin. Ich hatte mehr Übung im Umgang mit Männern.

[6] Ganz schönes Tempo! *Nice going!*
[7] Ein gesegnetes Weihnachtsfest! *Merry Christmas!*
[8] Es war lange her, daß: *It was a long time since.*

Vorhin, im Café, war es mir zu laut gewesen, — jetzt, hier, war es mir plötzlich allzu ruhig. Jedes Wort bekam durch die Stille des Raumes soviel Gewicht, daß es schwer war, unbefangen zu reden. Fast wünschte ich mich schon wieder ins Café zurück.

Fred brachte die Gläser. Wir tranken. Der Rum war stark und frisch. Er schmeckte nach Sonne. Er war etwas, woran man sich halten konnte. Ich trank das Glas aus und gab es Fred gleich wieder mit.[9]

„Gefällt es Ihnen hier?“ fragte ich.

Das Mädchen nickte.

„Besser als in der Konditorei drüben?“

„Ich hasse Konditoreien,“ sagte sie.

„Weshalb haben wir uns dann gerade da getroffen?“ fragte ich verblüfft.

„Ich weiß nicht.“ Sie nahm ihre Kappe ab. „Mir fiel nichts anderes ein.“

„Umso besser, daß es Ihnen dann hier gefällt. Wir sind oft hier. Abends ist diese Bude für uns schon fast so eine Art zuhause.“

Sie lachte. „Ist das nicht eigentlich traurig?“

„Nein,“ sagte ich, „zeitgemäß.“

„Wollen Sie nicht noch einen Martini nehmen?“ fragte ich das Mädchen.

„Was trinken Sie denn da?“

„Das hier ist Rum.“

Sie betrachtete mein Glas. „Das haben Sie neulich auch schon getrunken.“

„Ja,“ sagte ich, „das trinke ich meistens.“

Sie schüttelte den Kopf. „Ich kann mir nicht vorstellen, daß das schmeckt.“

[9] gab es Fred gleich wieder mit: *gave it right back to Fred to take with him* (for refilling).

„Ob es schmeckt, weiß ich schon gar nicht mehr," sagte ich.

Sie sah mich an. „Weshalb trinken Sie es denn?"

„Rum," sagte ich, froh, etwas gefunden zu haben, über das ich reden konnte, „Rum hat mit Schmecken nicht viel zu tun. Er ist nicht so einfach ein Getränk, — er ist schon mehr ein Freund. Ein Freund, der alles leichter macht. Er verändert die Welt. Und deshalb trinkt man ja —" Ich schob das Glas beiseite. „Aber soll ich Ihnen nicht noch einen Martini bestellen?"

„Lieber einen Rum," sagte sie. „Ich möchte ihn auch mal versuchen."

„Gut," erwiderte ich, „aber nicht diesen. Der ist für den Anfang zu schwer. Bring einen Baccardi-Cocktail," rief ich zu Fred hinüber.

Fred brachte die Gläser. Er setzte auch eine Schale mit Salzmandeln und schwarzgebrannten Kaffeebohnen dazu. „Laß meine Flasche nur gleich hier stehen," sagte ich.

Es war schon dunkel, als ich Patrice Hollmann nach Hause brachte. Langsam ging ich zurück. Ich fühlte mich plötzlich allein und leer. Ein feiner Regen sprühte hernieder. Ich blieb vor einem Schaufenster stehen. Ich hatte zuviel getrunken, das merkte ich jetzt. Nicht, daß ich schwankte; — aber ich merkte es doch deutlich.

Mir wurde mit einem Schlage mächtig heiß. Ich knöpfte den Mantel auf und schob den Hut zurück. Verdammt, es hatte mich wieder einmal überrumpelt! Was mochte ich da vorhin nur alles zusammengeredet haben! Ich wagte garnicht, genau darüber nachzudenken. Ich wußte es nicht einmal mehr, das war das Schlimmste. Hier allein, auf der kalten, autobusdröhnenden Straße sah das alles ganz anders aus als im Halbdunkel der Bar. Ich verfluchte mich selber.

Einen schönen Eindruck mußte das Mädchen von mir bekommen haben! Sie hatte es sicher gemerkt. Sie hatte ja selbst fast nichts getrunken. Beim Abschied hatte sie mich auch so sonderbar angesehen.

IV

Das Wetter wurde warm und feucht, und es regnete einige Tage lang. Dann klärte es sich auf, die Sonne fing an zu brüten, und als ich am Freitag Morgen in die Werkstatt kam, blieb ich überrascht stehen. Der alte Pflaumenbaum neben der Benzinpumpe war über Nacht aufgeblüht.

Jupp saß schon da. Er hatte in einer verrosteten Konservenbüchse vor sich eine Anzahl abgeschnittener Blütenzweige stehen. „Was soll denn das heißen?" fragte ich erstaunt.

„Für die Damen," erklärte Jupp. „Wenn sie tanken, gibts so einen Zweig gratis. Habe daraufhin schon neunzig Liter mehr verkauft. Der Baum ist Gold wert, Herr Lohkamp. Wenn wir den nicht hätten, müßten wir ihn künstlich nachmachen."

„Du bist ein geschäftstüchtiger Knabe."

Er grinste. Die Sonne durchleuchtete seine Ohren, daß sie aussahen wie rubinfarbene Kirchenfenster. „Zweimal bin ich auch schon photographiert worden," berichtete er. „Mit dem Baum dahinter."

„Paß auf, du wirst noch ein Filmstar," sagte ich und ging zur Grube hinüber, wo Lenz gerade unter dem Ford hervorkroch.

„Robby," sagte er, „mir ist da was eingefallen. Wir

müssen uns mal um das Mädchen von dem Binding kümmern.“

Ich starrte ihn an. „Wie meinst du das?“

„Genau, wie ich es sage. Aber was starrst du denn so?“

„Ich starre nicht —“

„Du stierst sogar. Wie hieß das Mädchen eigentlich noch? Pat, aber wie weiter?“

„Weiß ich nicht,“ erwiderte ich.

Er richtete sich auf. „Das weißt du nicht? Du hast doch ihre Adresse aufgeschrieben! Ich habe es selbst gesehen.“

„Habe den Zettel verloren.“

„Verloren!“ Er griff sich mit beiden Händen in seinen gelben Haarwald. „Und dazu habe ich damals den Binding eine Stunde draußen beschäftigt! Verloren! Na, vielleicht weiß Otto sie noch.“

„Otto weiß sie auch nicht.“

Er sah mich an. „Jammervoller Dilettant! Umso schlimmer! Weißt du denn nicht, daß das ein fabelhaftes Mädchen war? Herrgott!“ Er starrte zum Himmel. „Läuft uns endlich schon mal was Richtiges über den Weg, dann verliert so ein Trauerbolzen die Adresse!“

„So großartig fand ich sie gar nicht.“

„Weil du ein Esel bist,“ erwiderte Lenz, „ein Trottel, der nichts kennt. Du Klavierspieler, du! Ich sage dir nochmals: es war ein Glücksfall, ein besonderer Glücksfall, dieses Mädchen! Du hast natürlich keine Ahnung von sowas! Hast du dir die Augen angesehen? Natürlich nicht, — du hast dein Schnapsglas angesehen —“

„Halt den Schnabel,“ unterbrach ich ihn, denn mit dem Schnapsglas traf er in eine offene Wunde.

„Und die Hände,“ fuhr er fort, ohne mich zu beachten, „schmale, lange Hände wie eine Mulattin, davon versteht

Gottfried etwas, das kannst du glauben! Heiliger Moses! Endlich einmal ein Mädchen, wie es sein muß, schön, natürlich, und, was das wichtigste ist, mit Atmosphäre" — er unterbrach sich — „weißt du überhaupt, was das ist, Atmosphäre?"

„Luft, die man in einen Reifen pumpt," erklärte ich.

„Natürlich," sagte er mitleidig und verachtungsvoll, „Luft, natürlich! Atmosphäre, Aura, Strahlung, Wärme, Geheimnis, — das was die Schönheit erst beseelt und lebendig macht, — aber was rede ich — deine Atmosphäre ist der Rumdunst —"

„Hör jetzt auf oder ich lasse was auf deinen Schädel fallen," knurrte ich.

Aber Gottfried redete weiter, und ich tat ihm nichts. Er hatte ja keine Ahnung davon, was passiert war und daß jedes Wort von ihm mich mächtig traf. Besonders jedes über das Trinken. Ich war schon drüber weg gewesen und hatte mich ganz gut getröstet; jetzt aber wühlte er alles wieder auf. Er lobte und lobte das Mädchen, und mir wurde bald zumute,[1] als hätte ich wirklich etwas Besonderes unwiederbringlich verloren.

Ich überlegte, was ich machen sollte. In die Bar wollte ich auf keinen Fall; in ein Kino auch nicht; in die Werkstatt? Unschlüssig sah ich nach der Uhr. Es war acht. Jetzt mußte Köster wieder zurück sein. Wenn er da war, konnte Lenz nicht wieder stundenlang über das Mädchen reden. Ich ging hin.

In der Bude war Licht. Nicht nur in der Bude; — auch der ganze Hof war überflutet. Köster war allein da. „Was ist denn hier los, Otto?" fragte ich. „Hast du vielleicht den Cadillac verkauft?"

[1] mir wurde bald zumute: *I soon began to feel.*

Köster lachte. „Nein. Gottfried hat nur ein bißchen illuminiert.“

Beide Scheinwerfer des Cadillacs brannten. Der Wagen war so geschoben, daß die Lichtgarben durch das Fenster in den Hof fielen, mitten auf den weißblühenden Pflaumenbaum. Es sah wunderbar aus, wie er so kreidig dastand. Die Dunkelheit zu beiden Seiten schien wie ein schwarzes Meer zu rauschen.

„Großartig,“ sagte ich. „Wo ist er denn?“

„Er holt was zu essen.“

„Glänzende Idee,“ sagte ich. „Fühle mich so ein bißchen windig. Kann aber sein, daß es bloß Hunger ist.“

Köster nickte. „Essen ist immer gut. Hauptgesetz aller alten Krieger. Ich habe heute nachmittag auch was Windiges gemacht. Habe Karl zum Rennen gemeldet.“

„Was?“ sagte ich. „Etwa zum sechsten?“

Er nickte.

„Verdammt nochmal, Otto, da starten doch allerlei Kanonen.“

Er nickte wieder. „In der Sportwagenklasse Braumüller.“

Ich krempelte mir die Ärmel auf. „Dann ran, Otto! Große Ölwäsche für unsern Liebling.“

„Halt!“ rief der letzte Romantiker, der gerade hereinkam, „erst futtern!“ Er packte das Abendbrot aus, — Käse, Brot, steinharte Räucherwurst und Sprotten. Dazu tranken wir gut gekühltes Bier. Wir aßen wie eine Kolonne ausgehungerter Drescher. Dann gingen wir Karl zuleibe. Zwei Stunden arbeiteten wir an ihm herum und kontrollierten und schmierten alle Lager. Hinterher aßen Lenz und ich zum zweitenmale Abendbrot.

Lenz drehte sich zufrieden um. „So, Robby, nun hol

mal die Flaschen. Wir wollen das ‚Fest des blühenden Baumes‘ feiern.“

Ich stellte den Kognak, den Gin und zwei Gläser auf den Tisch. „Und du?“ fragte Gottfried.

„Ich trinke nichts.“

„Was? Warum nicht?“

„Weil ich keine Lust zu dieser verdammten Sauferei mehr habe.“

Lenz betrachtete mich eine Weile. „Unser Kind ist übergeschnappt, Otto,“ sagte er dann zu Köster.

„Laß ihn doch,[2] wenn er nicht will,“ erwiderte Köster.

Lenz schenkte sich sein Glas voll. „Der Junge ist schon seit einiger Zeit etwas verrückt.“

„Ist noch nicht das Schlechteste,“ erklärte ich.

Der Mond kam groß und rot hinter dem Dach der Fabrik gegenüber hervor. Wir saßen eine Weile und schwiegen. „Sag mal, Gottfried,“ begann ich dann, „du bist doch ein Fachmann in der Liebe, nicht?“

„Fachmann? Ich bin ein Altmeister der Liebe,“ erwiderte Lenz bescheiden.

„Schön. Ich möchte nämlich mal wissen, ob man sich eigentlich dabei immer blödsinnig benimmt.“

„Wieso blödsinnig?“

„Na so als ob man halbbetrunken ist. Herumredet und Unsinn quatscht und schwindelt.“

Lenz brach in ein Gelächter aus. „Aber Baby! Das Ganze ist doch Schwindel. Ein wunderbarer Schwindel von Mama Natur. Schau dir den Pflaumenbaum an! Er schwindelt auch gerade. Macht sich schöner, als er nachher ist.“

Ich richtete mich auf. „Du meinst, ohne etwas Schwindel gehts überhaupt nicht?“

[2] Laß ihn doch: *Let him alone.*

„Überhaupt nicht, Kindchen.“

„Kann man sich aber doch verflucht lächerlich machen.“

Lenz grinste. „Merke dir eins, Knabe: nie, nie, nie kann man sich lächerlich bei einer Frau machen, wenn man etwas ihretwegen tut. Selbst beim albernsten Theater nicht. Mach, was du willst, — steh Kopf,[3] rede den dümmsten Quatsch, prahle wie ein Pfau, singe vor ihrem Fenster, nur eins tu nicht; sei nicht sachlich! Nicht vernünftig!“

Ich wurde lebendig. „Was meinst du dazu, Otto?“

Köster lachte. „Wird wohl stimmen.“

Lenz hatte die Füße auf der Fensterbank und starrte hinaus. Ich setzte mich neben ihn. „Warst du schon mal betrunken, wenn du mit einer Frau zusammen warst?“

„Oft,“ erwiderte er, ohne sich zu rühren.

„Und?“

Er sah mich aus schrägen Augen an. „Du meinst, wenn man dann was verboxt hat?[4] Nie entschuldigen, Baby. Nie reden. Blumen schicken. Ohne Brief. Nur Blumen. Die decken alles zu. Sogar Gräber.“

Am nächsten Morgen brach ich frühzeitig auf und klopfte den Besitzer eines kleinen Blumenladens aus seiner Wohnung, bevor ich zur Werkstatt ging. Ich suchte einen Busch Rosen bei ihm aus und sagte ihm, er möchte sie gleich fortschicken. Es war ein wenig sonderbar für mich, als ich die Adresse langsam auf die Karte schrieb: Patrice Hollmann.

[3] steh Kopf: *stand on your head.*
[4] was verboxt hat: *has mixed things up a bit.*

V

Patrice Hollmann wohnte in einem großen, gelben Häuserblock, der durch ein schmales Rasenstück von der Straße getrennt war. Vor dem Eingang stand eine Laterne. Ich parkte den Cadillac direkt darunter. Er sah in dem bewegten Licht aus wie ein mächtiger Elefant aus fließendem, schwarzen Glanz.

Ich hatte meine Garderobe noch weiter vervollständigt. Zu der Kravatte hatte ich noch einen neuen Hut und ein Paar Handschuhe gekauft; — außerdem trug ich einen Ulster von Lenz, ein herrliches, graues Stück aus feinster Shetlandwolle. So ausgerüstet wollte ich meinen ersten säuferischen Eindruck nachdrücklich in die Flucht schlagen.

Ich hupte. Gleich darauf flammte wie eine Rakete in fünf Fenstern übereinander die Treppenbeleuchtung auf. Der Lift begann zu summen. Ich sah ihn herunterschweben. Patrice Hollmann öffnete die Tür und kam rasch die Treppen herunter. Sie trug eine kurze, braune Pelzjacke und einen engen, braunen Rock.

„Hallo!" Sie streckte mir die Hand entgegen. „Ich freue mich so, herauszukommen. Ich war den ganzen Tag zuhause."

Ich hatte gern, wie sie die Hand gab — mit einem Druck, der kräftiger war, als man vermutete. Ich haßte Leute, die einem schlaff die Hand hinhielten wie einen toten Fisch.

„Warum haben Sie mir das nicht früher gesagt," erwiderte ich. „Ich hätte Sie dann schon mittags abgeholt."

„Haben Sie denn soviel Zeit?"

„Das nicht. Aber ich hätte mich schon frei gemacht."

Sie holte tief Atem. „Wunderbare Luft! Es riecht nach Frühling."

„Wenn Sie Lust haben, können wir in der Luft herumfahren, soviel Sie wollen," sagte ich, „nach draußen, vor die Stadt, durch den Wald — ich habe einen Wagen mitgebracht." Damit zeigte ich so nachlässig auf den Cadillac, als wär er ein alter Ford.

„Der Cadillac?" Überrascht sah sie mich an. „Gehört der Ihnen?"

„Heute abend, ja. Sonst gehört er unserer Werkstatt. Wir haben ihn aufgearbeitet und wollen das Geschäft unseres Lebens damit machen."

Ich öffnete die Tür. „Wollen wir zuerst in die ‚Traube' fahren und essen? Was meinen Sie dazu?"

„Essen schon, aber wozu gerade in der Traube?"

Ich sah verdutzt auf. Die Traube war das einzige elegante Restaurant, das ich kannte.

„Offen gestanden," [1] sagte ich, „anders weiß ich nichts. Ich denke auch, der Cadillac verpflichtet uns etwas."

Sie lachte. „In der Traube ist es bestimmt steif und langweilig. Gehen wir doch anderswo hin!"

Ich stand ratlos da. Meine seriösen Träume lösten sich in Dunst auf. „Dann müssen Sie schon etwas vorschlagen," sagte ich. „Die Lokale, die ich nämlich sonst noch kenne, sind etwas handfest. Ich glaube, das ist nichts für Sie." [2]

„Warum glauben Sie das?"

„Das sieht man doch so ungefähr —"

Sie blickte mich rasch an. „Wir können es ja mal versuchen."

„Gut." Ich warf entschlossen mein ganzes Programm um.

„Dann weiß ich was, wenn Sie nicht schreckhaft sind. Wir gehen zu Alfons."

[1] Offen gestanden: *Frankly speaking.*
[2] das ist nichts für Sie: *that wouldn't suit you.*

„Alfons klingt schon sehr gut,“ erwiderte sie, „und schreckhaft bin ich heute abend auch nicht.“

„Alfons ist ein Bierwirt,“ sagte ich, „ein guter Freund von Lenz.“

Sie lachte. „Lenz hat wohl überall Freunde?“

Ich nickte. „Er findet sie auch leicht. Das haben Sie ja bei Binding gesehen.“

„Ja, weiß Gott,“ erwiderte sie. „Das ging ja wie der Blitz.“

Wir fuhren los.

Alfons war ein schwerer, ruhiger Mann. Vorstehende Backenknochen. Kleine Augen. Aufgekrempelte Hemdsärmel. Arme wie ein Gorilla. Er warf jeden, der ihm in seiner Kneipe nicht paßte, selbst raus. Für sehr schwierige Gäste hatte er einen Hammer unter der Theke bereit. Das Lokal lag praktisch;[3] dicht beim Krankenhaus. Alfons sparte so die Transportkosten.

Er wischte mit der behaarten Tatze über die helle Tischplatte aus Tannenholz. „Bier?“ fragte er.

„Korn und was zu essen,“ sagte ich.

„Und die Dame?“ fragte Alfons.

„Die Dame will auch einen Korn,“ sagte Patrice Hollmann.

„Heftig, heftig,“[4] meinte Alfons. „Es gibt Schweinerippchen mit Sauerkraut.“

„Selbstgeschlachtet?“[5] fragte ich.

„Klar.“

„Aber die Dame möchte sicher etwas leichteres essen, Alfons.“

[3] Das Lokal lag praktisch: *The place was conveniently situated.*
[4] Heftig, heftig! *That's the stuff!*
[5] Selbstgeschlachtet? *Killed by yourself?*

„Kann nicht Ihr Ernst sein," [6] meinte Alfons. „Schauen Sie sich erst mal die Rippchen an."

Er ließ den Kellner eine Portion zeigen. „War eine wunderbare Sau," sagte er. „Prämiert. Zwei erste Preise."

„Da kann natürlich niemand widerstehen," erwiderte Patrice Hollmann zu meinem Erstaunen mit einer Sicherheit, als verkehre sie schon Jahre in der Kaschemme hier.

Alfons zwinkerte. „Also zwei Portionen?"

Sie nickte.

„Schön! Werde mal selbst aussuchen."

Er ging in die Küche. „Ich nehme meine Zweifel wegen des Lokals zurück," sagte ich. „Sie haben Alfons im Sturm erobert. Selbst aussuchen, das macht er sonst nur bei Stammgästen."

Alfons kam zurück. „Habe euch noch eine frische Wurst reingegeben."

„Keine schlechte Idee," sagte ich.

Alfons sah uns wohlwollend an. Der Korn kam. Drei Gläser. Eins für Alfons mit. „Na, denn Prost," sagte er. „Auf daß unsere Kinder reiche Eltern kriegen."

Wir kippten die Gläser. Das Mädchen nippte nicht, es kippte auch. „Heftig, heftig," sagte Alfons und schlurfte zur Theke zurück.

„Schmeckt Ihnen der Korn?" fragte ich.

Sie schüttelte sich. „Etwas kräftig. Aber ich kann mich doch vor Alfons nicht blamieren."

Die Schweinerippchen hatten es in sich.[7] Ich aß zwei große Portionen, und auch Patrice Hollmann aß bedeutend mehr, als ich ihr zugetraut hatte. Ich fand es großartig, daß sie so gut mitmachte und sich so ohne weiteres in das

[6] Kann nicht Ihr Ernst sein: *You can't be serious.*

[7] Die Schweinerippchen hatten es in sich: *The pork chops were first-class.*

Lokal fand.[8] Sie trank auch ohne Ziererei noch einen zweiten Korn mit Alfons. Der zwinkerte mir heimlich zu, er fände die Sache richtig. Und Alfons war ein Kenner. Nicht gerade in Bezug auf Schönheit und Kultur, — wohl aber in Bezug auf Kern und Gehalt.

„Wenn Sie Glück haben, lernen Sie Alfons in seiner menschlichen Schwäche kennen," sagte ich.

„Das möchte ich mal," erwiderte sie. „Er sieht aus, als hätte er keine."

„Doch!" Ich zeigte auf einen Tisch neben der Theke. „Da —"

„Was? Das Grammophon?"

„Nicht das Grammophon. Chorgesang! Alfons hat eine Schwäche für Chorgesang. Keine Tänze, keine klassische Musik, — nur Chöre, Männerchöre, gemischte Chöre, — alles, was da an Platten liegt, sind Chöre. Da, sehen Sie, er kommt."

„Geschmeckt?" fragte Alfons.

„Wie bei Muttern," erwiderte ich.

„Die Dame auch?"

„Die besten Schweinerippchen meines Lebens," erklärte die Dame kühn.

Alfons nickte befriedigt. „Spiele euch jetzt mal meine neue Platte vor. Werdet staunen."

Er ging zum Grammophon. Die Nadel kratzte, und machtvoll erhob sich ein Männerchor, der mit gewaltigen Stimmen das „Schweigen im Walde" sang. Es war ein verflucht lautes Schweigen.

Vom ersten Takt an wurde alles im Lokal still. Alfons konnte gefährlich werden, wenn jemand keine Andacht zeigte. Er stand an der Theke, die haarigen Arme auf-

[8] sich so ohne weiteres in das Lokal fand: *adapted herself to the place without trouble.*

gestützt.[9] Sein Gesicht veränderte sich unter der Macht der Musik. Es wurde träumerisch, — so träumerisch, wie eben ein Gorilla werden kann. Chorgesang hatte eine unbeschreibliche Gewalt über ihn.

Die Platte lief aus. Alfons kam heran.

„Wunderbar," sagte ich.

„Besonders der erste Tenor," ergänzte Patrice Hollmann.

„Richtig," meinte Alfons und wurde zum erstenmale lebhafter, „Sie verstehen was davon! Der erste Tenor ist ganz große Klasse."

Wir verabschiedeten uns von ihm. „Grüßt Gottfried," sagte er. „Soll sich mal wieder sehen lassen."

Wir standen auf der Straße.

Patrice Hollmann schauerte ein wenig.

„Ist Ihnen kalt?" fragte ich.

Sie zog die Schultern hoch und steckte die Hände in die Ärmel ihrer Pelzjacke. „Nur einen Augenblick. Es war drinnen ziemlich warm."

„Sie sind zu leicht angezogen," sagte ich. „Es ist abends noch kalt."

Sie schüttelte den Kopf. „Ich trage nicht gern schwere Sachen. Und ich möchte, daß es endlich einmal warm wird. Ich mag keine Kälte. Wenigstens nicht in der Stadt."

„Im Cadillac ist es warm," sagte ich. „Zur Vorsicht habe ich auch eine Decke mitgebracht."

Ich half ihr in den Wagen und legte ihr die Decke über die Kniee. Sie zog sie höher hinauf. „Herrlich! So ist es wunderbar. Kälte macht traurig."

„Nicht nur Kälte." Ich setzte mich ans Steuer. „Wollen wir jetzt etwas spazierenfahren?"

[9] die haarigen Arme aufgestützt: *chin supported on his hairy arms.*

Sie nickte. „Gern.“

„Wohin?“

„Einfach so langsam durch die Straßen. Ganz gleich, wohin.“

„Gut.“

Ich ließ den Motor an, und wir fuhren langsam und planlos durch die Stadt. Es war die Zeit, wo der Abendverkehr am stärksten ist. Wir glitten fast unhörbar hindurch, so leise summte die Maschine. Es war, als sei der Wagen ein Schiff, das lautlos über die bunten Kanäle des Lebens trieb.

Das Mädchen saß schweigend neben mir; Helligkeit und Schatten glitten durch das Fenster über ihr Gesicht. Ich sah manchmal zu ihr hinüber; sie erinnerte mich jetzt wieder an den Abend, wo ich sie zum erstenmale gesehen hatte. Ihr Gesicht war ernster geworden, es erschien fremder als vorher, aber sehr schön; — es war das Gesicht, das mich damals angerührt und nicht losgelassen hatte. Mir schien, als wäre etwas von dem Geheimnis der Stille darin, das die Dinge haben, die der Natur nahe sind — Bäume, Wolken, Tiere, — und manchmal eine Frau.

Wir kamen in die ruhigen Straßen der Vororte. Der Wind wurde stärker. Er schien die Nacht vor sich her zu treiben. An einem großen Platz, um den rund herum kleine Häuser in kleinen Gärten schliefen, hielt ich den Wagen an.

Patrice Hollmann machte eine Bewegung, als erwache sie. „Schön ist das,“ sagte sie nach einer Weile. „Wenn ich einen Wagen hätte, würde ich jeden Abend so langsam herumfahren. Es hat etwas Unwirkliches, so lautlos überall vorüberzugleiten. Man ist wach und träumt zur selben Zeit. Ich kann mir denken, daß man dann keine Menschen mehr brauchte abends —“

Ich zog ein Paket Zigaretten aus der Tasche. „Abends braucht man welche, was?“ [10]

Sie nickte. „Abends schon. Das ist eine sonderbare Sache, wenn es dunkel wird.“

Ich riß das Paket auf. „Es sind amerikanische Zigaretten. Mögen Sie die?“

„Ja. Lieber als andere sogar.“

Ich gab ihr Feuer. Einen Augenblick beleuchtete das warme, nahe Licht des Streichholzes ihr Gesicht und meine Hände, und ich hatte plötzlich den verrückten Gedanken, als gehörten wir seit langem zusammen.

Ich drehte das Fenster herunter, damit der Rauch abziehen konnte. „Wollen Sie jetzt etwas fahren?“ fragte ich. „Es macht Ihnen doch sicher Spaß.“

Sie wendete sich mir zu. „Ich möchte schon; aber ich kann es nicht.“

„Wirklich nicht?“

„Nein. Ich habe es nie gelernt.“

Ich sah meine Chance. „Das hätte Binding Ihnen doch längst zeigen können,“ sagte ich.

Sie lachte. „Binding ist viel zu verliebt in seinen Wagen. Der läßt niemand heran.“

„Das ist ja albern,“ erklärte ich, vergnügt, dem Dicken eins auswischen zu können. „Ich lasse Sie ohne weiteres fahren. Kommen Sie.“

Ich stieg aus, um sie ans Steuer zu lassen. Sie wurde aufgeregt. „Aber ich kann wirklich nicht fahren.“

„Doch,“ erwiderte ich, „Sie können es. Sie wissen es nur noch nicht.“

Ich zeigte ihr, wie man schaltete und kuppelte. „So,“ sagte ich dann, „und nun mal los!“

„Einen Moment!“ Sie zeigte auf einen Omnibus, der

[10] Abends braucht man welche, was? *In the evening one needs some, eh?*

einsam die Straße entlang schlich. „Wollen wir den nicht erst vorbeilassen?“

„Auf keinen Fall!“ Ich schaltete rasch und ließ die Kuppelung ein.

Sie hielt das Steuerrad krampfhaft fest und sah angespannt über die Straße. „Mein Gott, wir fahren ja viel zu schnell!“

Ich blickte auf den Tachometer. „Sie fahren jetzt genau fünfundzwanzig Kilometer. Das sind in Wirklichkeit zwanzig. Gutes Tempo für einen Langstreckenläufer.“

„Mir kommts vor wie achtzig.“

Nach ein paar Minuten war die erste Angst überwunden. Wir fuhren eine breite, gerade Straße hinunter. Der Cadillac torkelte ein bißchen hin und her, als ob er statt Benzin Kognak im Tank hätte, und manchmal streifte er verdächtig nahe die Bordschwelle, — aber allmählich ging es ganz gut, und es wurde so, wie ich es mir gedacht hatte: ich bekam Übergewicht, weil wir plötzlich Lehrer und Schüler geworden waren, und das nutzte ich aus.

„Achtung,“ sagte ich, „drüben steht ein Polizist!“

„Soll ich anhalten?“

„Dazu ist es jetzt zu spät.“

„Und was passiert, wenn er mich erwischt? Ich habe doch keinen Führerschein.“

„Dann kommen wir beide ins Gefängnis.“

„Um Gotteswillen!“ [11] Sie suchte erschreckt mit dem Fuß die Bremse.

„Gas!“ rief ich. „Gas! Feste drauftreten! Wir müssen stolz und schnell vorbei. Das beste Mittel gegen das Gesetz ist Frechheit.“

Der Polizist beachtete uns garnicht. Das Mädchen atmete auf.

[11] Um Gotteswillen! *Good heavens!*

„Ich wußte bis jetzt noch garnicht, daß Verkehrsposten aussehen können wie feuerspeiende Drachen,“ sagte sie, als wir ihn ein paar hundert Meter hinter uns hatten.

„Das tun sie erst, wenn man sie anfährt.“ Ich zog langsam die Bremse. „So, hier haben wir eine prachtvoll leere Seitenstraße. Hier wollen wir nun mal richtig üben. Zunächst das Anfahren und das Halten.“

Patrice Hollmann würgte ein paar mal den Motor ab. Sie knöpfte ihre Pelzjacke auf. „Mir wird warm dabei! Aber ich muß es lernen!“

Sie saß eifrig und aufmerksam am Steuer und beobachtete, was ich ihr vormachte. Dann fuhr sie mit aufgeregten, kleinen Ausrufen ihre ersten Kurven und hatte vor entgegenkommenden Scheinwerfern Angst wie vor dem Teufel, und ebensoviel Stolz, wenn sie glücklich passiert waren. Bald entstand in dem kleinen, vom Licht des Schaltbrettes halb erhelltem Raum ein Gefühl von Kameradschaft, wie es sich rasch bei technischen und sachlichen Dingen einstellt, — und als wir nach einer halben Stunde die Plätze wechselten und ich zurückfuhr, waren wir vertrauter miteinander geworden, als wenn wir uns gegenseitig unsere ganze Lebensgeschichte erzählt hätten.

VI

Ich stand meiner Wirtin gegenüber. „Wo brennts?“ [1] fragte Frau Zalewski.

„Nirgendwo,“ erwiderte ich. „Ich will nur meine Miete bezahlen.“

[1] Wo brennts? *Where's the fire?*

Es war noch drei Tage zu früh und Frau Zalewski fiel vor Erstaunen fast um. „Dahinter steckt doch was,“ [2] meinte sie argwöhnisch.

„Nicht die Spur,“ erwiderte ich. „Kann ich heute abend mal die beiden Brokatsessel aus Ihrem Salon haben?“

Kampfbereit stemmte sie die Arme auf die dicken Hüften. „Da haben wir es! Gefällt Ihnen Ihr Zimmer nicht mehr?“

„Doch. Aber Ihre Brokatsessel gefallen mir besser.“

Ich erklärte ihr, daß ich vielleicht Besuch von einer Kusine bekäme und dazu das Zimmer gern etwas hübscher haben möchte. Sie lachte, daß ihr Busen nur so wogte. „Kusine,“ wiederholte sie verächtlich, „und wann kommt die Kusine?“

„Es ist noch gar nicht sicher,“ sagte ich, „aber wenn sie kommt, natürlich früh, früh abends, zum Essen. Warum soll es übrigens keine Kusinen geben, Frau Zalewski?“

„Es gibt schon welche,“ [3] erwiderte sie, „aber für die borgt man keine Sessel.“

„Ich wohl,“ [4] behauptete ich, „ich habe sehr viel Familiensinn.“

„So sehen Sie aus! Rumtreiber seid ihr alle miteinander. Die Brokatsessel können Sie haben.“

„Danke schön. Morgen bringe ich alles zurück. Den Teppich auch.“

„Teppich?“ Sie drehte sich um. „Wer hat denn hier ein Wort von Teppich gesagt?“

„Ich. Und Sie auch, eben grade.“

Sie sah mich entrüstet an. „Der gehört doch dazu,“ sagte ich.

„Die Sessel stehen doch drauf.“

[2] Dahinter steckt doch was: *There's something behind it.* The Cadillac has just been sold and Robby is now in funds.
[3] Es gibt schon welche: *There are such things.*
[4] Ich wohl: *Well, I do.*

„Herr Lohkamp," erklärte Frau Zalewski majestätisch, „treiben Sie es nicht zu weit! Mäßigkeit in allem, war ein Wort des seligen Zalewski. Das könnten Sie auch mal beherzigen."

Ich war dabei, meine Bude auszuschmücken. Nachmittags hatte ich mit Patrice Hollmann telefoniert. Sie war krank gewesen, und ich hatte sie fast eine Woche nicht mehr gesehen. Jetzt waren wir um acht Uhr verabredet, und ich hatte ihr vorgeschlagen, bei mir zu essen und nachher in ein Kino zu gehen.

Ich packte aus, was ich zum Abendbrot eingekauft hatte, und machte alles zurecht, so gut ich konnte, und bald kannte ich meine alte Bude nicht wieder in ihrem neuen Glanz. Die Sessel, die Lampe, der gedeckte Tisch — ich spürte, wie eine unruhige Erwartung sich in mir sammelte.

Ich brach auf, obschon ich noch über eine Stunde Zeit hatte. Draußen wehte der Wind in langen Stößen um die Ecken der Häuser. Die Laternen brannten schon. Die Dämmerung zwischen den Häusern war blau wie ein Meer.

Die Haustür klappte. „Hallo," sagte Patrice Hollmann, „so tief in Gedanken?"

„Nein, gar nicht! Aber wie geht es Ihnen? Sind Sie wieder gesund? Was haben Sie denn gehabt?"

„Ach, nichts besonderes. Erkältet und ein bißchen Fieber."

Sie sah gar nicht krank und angegriffen aus. Im Gegenteil, — ihre Augen waren mir noch nie so groß und strahlend erschienen, ihr Gesicht war ein wenig gerötet, und ihre Bewegungen waren geschmeidig, wie bei einem schmalen, schönen Tier.

„Sie sehen prachtvoll aus," sagte ich. „Ganz gesund! Wir können eine Menge unternehmen."

„Das wäre schön," erwiderte sie. „Aber heute geht es nicht. Ich kann heute nicht."

Ich starrte sie verständnislos an. „Sie können nicht?"

Sie schüttelte den Kopf. „Leider nicht."

Ich begriff immer noch nicht. Ich glaubte, sie hätte sich das mit meiner Bude anders überlegt und wollte nur nicht bei mir essen.

„Ich habe schon bei Ihnen angerufen," sagte sie, „damit Sie nicht vergebens kämen. Aber Sie waren schon weggegangen."

Jetzt verstand ich endlich. „Sie können wirklich nicht? Den ganzen Abend nicht?" fragte ich.

„Heute nicht. Ich muß irgendwohin. Leider habe ich es auch erst vor einer halben Stunde erfahren."

„Können Sie das denn nicht verschieben?"

„Nein, das geht nicht." Sie lächelte. „Es ist so etwas wie eine geschäftliche Sache."

Ich war wie vor den Kopf geschlagen.[5] Mit allem hatte ich gerechnet, nur damit nicht. Ich glaubte ihr kein Wort. Geschäftliche Sache, — sie sah nicht nach geschäftlichen Sachen aus! Was konnte man abends schon für geschäftliche Besprechungen haben? Sowas machte man vormittags! Und man erfuhr es auch nicht erst eine halbe Stunde vorher. Sie wollte einfach nicht, das war alles.

Ich war auf eine geradezu kindische Weise enttäuscht. Jetzt spürte ich erst, wie sehr ich mich auf den Abend gefreut hatte. Ich ärgerte mich darüber, daß ich so enttäuscht war, und ich wollte nicht, daß sie es merkte. „Also schön," sagte ich, „dann ist nichts zu machen. Auf Wiedersehen."

[5] Ich war wie vor den Kopf geschlagen: *I felt as if hit over the head.*

Sie sah mich forschend an. „So eilig ist es nicht. Ich bin erst um neun verabredet. Wir können noch etwas spazieren gehen. Ich war die ganze Woche nicht draußen."

„Gut," sagte ich widerstrebend. Ich fühlte mich plötzlich müde und leer.

Wir gingen die Straße entlang. Der Abend war klar geworden, und die Sterne standen zwischen den Dächern.

Das Mädchen lachte und dehnte sich in den Schultern. „Wie schön das ist, wenn man so lange im Zimmer gewesen ist! Zu schade, daß ich fort muß! Dieser Binding, — immer eilig und im letzten Moment, — er hätte wirklich die Sache auf morgen verlegen können!"

„Binding?" fragte ich. „Sie sind mit Binding verabredet?"

Sie nickte. „Mit Binding und noch jemand. Auf diesen Jemand kommt es an. Ernsthaft geschäftlich. Können Sie sich das denken?"

„Nein," erwiderte ich, „das kann ich mir nicht denken."

Sie lachte und sprach weiter. Aber ich hörte nicht mehr zu. Binding — das war mir wie ein Blitz in die Knochen gefahren. Ich dachte nicht daran, daß sie ihn viel länger kannte als mich, — ich sah nur überlebensgroß und strahlend seinen Buick, seinen teuren Anzug und sein Portemonnaie vor mir auftauchen. Meine arme, brave, geschmückte Bude! Was hatte ich mir da nur eingebildet! Das Mädchen paßte ja überhaupt nicht zu mir! Was war ich denn schon? Ein Fußgänger, der sich mal einen Cadillac geborgt hatte, eine täppische Schnapsdrossel, nichts weiter! Sowas war an jeder Straßenecke zu finden. Ich sah bereits den Portier der Traube vor Binding salutieren, ich sah helle, warme, gepflegte Räume, Zigarettengewölk und elegante Leute, ich hörte Musik und Gelächter, Gelächter über mich. Zurück, dachte ich, rasch zurück! Eine Ahnung, eine

Hoffnung — was war schon viel gewesen! Es war sinnlos, sich darauf einzulassen. Nichts wie zurück![6]

„Wir können uns morgen abend treffen, wenn Sie wollen," sagte Patrice Hollmann.

„Morgen abend habe ich keine Zeit," erwiderte ich.

„Oder übermorgen oder irgendwann in dieser Woche. Ich habe in den nächsten Tagen nichts vor."

„Es wird schwierig sein," sagte ich. „Wir haben heute einen eiligen Auftrag bekommen, da müssen wir wahrscheinlich die ganze Woche durch bis nachts arbeiten."

Es war Schwindel, aber ich konnte nicht anders.[7] Es steckte plötzlich zuviel Wut und Beschämung in mir.

„Ich glaube, wir müssen jetzt umkehren," sagte sie nach einer Weile.

„Ja," erwiderte ich, „das glaube ich auch."

Wir standen vor der Haustür. „Leben Sie wohl,"[8] sagte ich, „und viel Vergnügen noch."

Sie antwortete nicht. Mit ziemlicher Mühe brachte ich meine Augen von dem Klingelknopf an der Tür los und sah sie an. Und wahrhaftig, — ich traute meinen Blicken nicht — da stand sie, und anstatt gründlich eingeschnappt zu sein, zuckte es um ihren Mund, ihre Augen flimmerten, und dann lachte sie, herzlich und unbekümmert, sie lachte mich einfach aus. „Sie Kindskopf," sagte sie, „o Gott, was sind Sie noch für ein Kindskopf!"

Ich starrte sie an. „Na ja —" sagte ich dann, „immerhin" — und bekam auf einmal Sinn für die Situation — „Sie finden mich wohl etwas idiotisch, was?"

Sie lachte. Rasch machte ich einen Schritt vor und zog sie fest an mich, mochte sie denken, was sie wollte. Ihr

[6] Nichts wie zurück! *There was nothing for it but retreat!*
[7] ich konnte nicht anders: *I could not help it.*
[8] Leben Sie wohl: *Good-by.*

Haar streifte meine Wange, ihr Gesicht war dicht vor mir, ich spürte den schwachen Pfirsichgeruch ihrer Haut; — dann näherten sich ihre Augen, und ich fühlte plötzlich ihre Lippen auf meinem Mund —

Sie war fort, ehe ich richtig wußte, was los war.

Spät, als alles still geworden war, nahm ich meinen Mantel und eine Decke und schlich über den Korridor zum Telefon. Ich kniete vor dem Tisch nieder, auf dem der Apparat stand, legte mir Mantel und Decke über den Kopf, hob den Hörer ab und hielt mit der linken Hand den Mantel unten zu. So war ich sicher, daß mich niemand belauschen konnte. Die Pension Zalewski besaß ungeheuer lange, neugierige Ohren. Ich hatte Glück. Patrice Hollmann war zu Hause. „Sind Sie von Ihrer geheimnisvollen Besprechung schon lange zurück?" fragte ich.

„Schon fast eine Stunde."

„Schade. Hätte ich das gewußt —"

Sie lachte. „Nein, es hätte nichts genützt. Ich liege zu Bett und habe schon wieder etwas Fieber. Es ist ganz gut, daß ich früh nach Hause gekommen bin."

„Fieber? Was ist denn das nur für ein Fieber?"

„Ach, nichts Wichtiges. Was haben Sie denn heute abend noch gemacht?"

„Ich habe mich mit meiner Wirtin über die Weltlage unterhalten. Und Sie? Hat Ihre Sache geklappt?"

„Ich hoffe, daß sie klappt."

Unter meinem Unterschlupf wurde es affenheiß. Ich lüftete deshalb jedesmal, wenn das Mädchen sprach, den Vorhang, atmete eilig die kühle Luft von außen und schloß die Klappe, wenn ich selbst dicht über der Muschel sprach.

„Haben Sie in Ihrer Bekanntschaft nicht jemand, der Robert heißt?" fragte ich.

Sie lachte. „Ich glaube nicht —"

„Schade. Ich hätte gern mal gehört, wie Sie das aussprechen. Wollen Sie es nicht trotzdem mal versuchen?"

Sie lachte wieder.

„Nur so zum Spaß," sagte ich. „Zum Beispiel: Robert ist ein Esel."

„Robert ist ein Kindskopf —"

„Sie haben eine wunderbare Aussprache," sagte ich. „Und nun wollen wir es mal mit Robby versuchen. Also: Robby ist —"

„Robby ist ein Säufer —" sagte die leise, ferne Stimme langsam, „und jetzt muß ich schlafen — ich habe ein Schlafmittel genommen, und mein Kopf summt schon —"

„Ja — gute Nacht — schlafen Sie gut —"

Ich legte den Hörer auf und schob den Mantel und die Decke beiseite. Dann richtete ich mich auf und erstarrte. Einen Schritt hinter mir stand wie ein Geist der pensionierte Rechnungsrat, der das Zimmer neben der Küche bewohnte. Ich grunzte ärgerlich irgendetwas.

„Pst!" machte er und grinste.

„Pst!" machte ich zurück und wünschte ihn zur Hölle.

Er hob einen Finger. „Ich verrate nichts — politisch, wie?"

„Was?" sagte ich erstaunt.

Er zwinkerte. „Ohne Sorge! Stehe selbst scharf rechts. Geheimes politisches Gespräch, wie?"

Ich begriff. „Hochpolitisch!" sagte ich und grinste jetzt auch.

Er nickte und flüsterte: „Es lebe Seine Majestät!"

„Dreimal Vivat hoch!" [9] erwiderte ich. „Aber nun mal was anderes: Wissen Sie eigentlich, wer das Telefon erfunden hat?"

[9] Dreimal Vivat! *Three cheers!*

Er schüttelte erstaunt den kahlen Schädel.

„Ich auch nicht," sagte ich, — „aber es muß ein fabelhafter Kerl gewesen sein —"

VII

Ich war unterwegs zu Pat. Es war das erstemal, daß ich sie besuchte. Bisher war sie immer nur bei mir gewesen oder ich hatte sie vor ihrem Hause abgeholt, und wir waren irgendwo hingegangen. Aber das war stets so gewesen, als ob sie nur zu Besuch da war. Ich wollte mehr von ihr wissen. Ich wollte wissen, wie sie lebte.

Mir fiel ein, daß ich ihr Blumen mitbringen könnte. Das war leicht; die städtischen Anlagen standen in voller Blüte. Ich sprang über das Gitter und begann einen weißen Fliederbusch zu plündern.

„Was machen Sie da?" erscholl plötzlich eine markige Stimme.

Ich sah auf. Ein Mann mit einem Burgundergesicht und aufgezwirbeltem, weißen Schnauzbart starrte mich entrüstet an. Kein Polizist und kein Parkwächter. Höheres, pensioniertes Militär, das erkannte man sofort.

„Das ist doch nicht schwer festzustellen," erwiderte ich höflich. „Ich breche hier Fliederzweige ab."

Dem Mann verschlug es einen Moment die Sprache.[1] „Wissen Sie nicht, daß das städtische Anlagen sind?" knurrte er dann empört.

Ich lachte. „Natürlich weiß ich das! Oder glaubten Sie, ich hielte das hier für die Kanarischen Inseln?"

[1] Dem Mann verschlug es einen Moment die Sprache: *The man lost his power of speech for a moment.*

Der Mann wurde blau. Ich fürchtete, der Schlag würde ihn treffen. „Sofort raus da, Kerl!“ schrie er mit erstklassiger Kasernenhofstimme. „Sie vergreifen sich an städtischem Gut! Ich lasse Sie abführen!“

Ich hatte inzwischen genug Flieder. „Dann fang mich mal, Großvater!“ forderte ich den Alten auf, sprang nach der andern Seite übers Gitter und entschwand.

Vor dem Hause Pats musterte ich noch einmal meinen Anzug. Dann stieg ich die Treppen hinauf und sah mich um.

Das Haus war neu und modern gebaut; — ein starker Gegensatz zu meiner verwohnten, pompösen Baracke. Die Treppen waren mit einem roten Läufer belegt; das gab es bei Mutter Zalewski auch nicht. Vom Fahrstuhl garnicht zu reden.

Pat wohnte im zweiten Stock. An der Tür war ein selbstbewußtes Messingschild angebracht: Egbert von Hake, Oberstleutnant. Ich starrte es lange an. Unwillkürlich rückte ich dann meinen Schlips zurecht, bevor ich klingelte.

Ein Mädchen mit weißem Häubchen und blütenweißer Tändelschürze öffnete. Mir wurde plötzlich unbehaglich zumute. „Herr Lohkamp?“ fragte sie.

Ich nickte.

Sie führte mich über einen kleinen Vorplatz und öffnete dann eine Zimmertür. Ich wäre nicht besonders erstaunt gewesen, wenn dort zunächst einmal Oberstleutnant Egbert von Hake in voller Uniform gestanden und mich einem Verhör unterzogen hätte, — so seriös wirkten die Bilder von einer Anzahl Generälen, die, ordenbedeckt, grimmig von den Wänden des Vorzimmers mir Zivilisten nachsahen. Aber da kam Pat mir schon entgegen mit ihren schönen, langen Schritten, und das Zimmer war plötzlich nichts als eine Insel von Wärme und Heiterkeit. Ich schloß die Tür und nahm sie zuerst einmal vorsichtig in die Arme. Dann übergab ich ihr den gestohlenen Flieder. „Hier," sagte ich. „Mit einem Gruß von der Stadtverwaltung!"

Sie stellte die Zweige in eine große, helle Tonvase, die auf dem Boden vor dem Fenster stand. Ich sah mich unterdessen in ihrem Zimmer um. Weiche gedämpfte Farben, wenige, alte, schöne Möbel, ein mattblauer Teppich, pastellfarbene Vorhänge, bequeme kleine Sessel, mit verblichenem Samt gepolstert — „Mein Gott, wie hast du nur so ein Zimmer gefunden, Pat?" sagte ich. „Die Leute stellen doch sonst nur ihre ausrangierten Brocken und die unbrauchbaren Geburtstagsgeschenke in Zimmer, die sie vermieten."

Sie schob die Vase mit den Blumen behutsam zur Seite an die Wand. Ich sah ihren schmalen, gebogenen Nacken, die geraden Schultern und die etwas zu dünnen Arme. Sie sah aus wie ein Kind, während sie kniete, ein Kind, das man beschützen mußte. Aber sie hatte die Bewegungen eines geschmeidigen Tieres, und als sie sich dann aufrichtete und sich an mich lehnte, da war sie kein Kind mehr, da hatten ihre Augen und ihr Mund wieder etwas von der fragenden Erwartung und dem Geheimnis, das mich verwirrte und von dem ich geglaubt hatte, daß es das nicht mehr gäbe in dieser dreckigen Welt.

Ich legte die Hand um ihre Schulter. Es war schön, sie so zu fühlen. „Es sind alles meine eigenen Sachen, Robby. Die Wohnung hat früher meiner Mutter gehört. Als sie starb, habe ich sie abgegeben und zwei Zimmer für mich behalten."

„Dann gehört sie also dir?" fragte ich erleichtert. „Und der Oberstleutnant Egbert von Hake wohnt nur bei dir zur Miete?"

Sie schüttelte den Kopf. „Nicht mehr. Ich konnte sie nicht behalten. Ich habe die übrigen Möbel verkauft und die Wohnung ganz abgegeben. Ich wohne jetzt hier zur Miete. Aber was hast du mit dem alten Egbert?" [2]

„Nichts. Ich habe nur eine natürliche Scheu vor Polizisten und Stabsoffizieren. Das stammt noch aus meiner Militärzeit."

Sie lachte. „Mein Vater war auch Major."

„Major ist gerade die Grenze," erwiderte ich.

Es klopfte. Das Mädchen von vorhin schob einen niedrigen, fahrbaren Tisch [3] herein. Dünnes, weißes Porzellan, eine Silberplatte mit Kuchen, eine andere mit belegten, unwahrscheinlich kleinen Brötchen, Servietten, Zigaretten und was weiß ich sonst noch — wie geblendet starrte ich darauf nieder. „Erbarme dich, Pat!" sagte ich dann. „Das ist ja wie im Film! Ich habe schon auf der Treppe gemerkt, daß wir auf verschiedenen sozialen Stufen stehen. Bedenke, daß ich gewöhnt bin, aus fettigem Papier auf der Zalewskischen Fensterbank zu essen, den braven Spirituskocher treu neben mir. Erbarme dich über den Bewohner liebloser Pensionen, wenn er in seiner Verwirrung vielleicht eine Tasse umschmeißt!"

Sie lachte. „Das darfst du nicht. Deine Ehre als Motorenfachmann erlaubt das nicht. Du mußt geschickt sein." Sie ergriff den Henkel einer Kanne. „Willst du Tee oder Kaffee?"

„Tee oder Kaffee? Gibt es denn beides?"

„Ja. Sieh hier!"

„Herrlich! Wie in den besten Lokalen! Jetzt fehlt nur noch Musik."

Sie beugte sich zur Seite und knipste einen kleinen Kofferradio an, den ich garnicht gesehen hatte. „Also, was willst du nun, Tee oder Kaffee?"

[2] Was hast du mit dem alten Egbert? *What have you against old Egbert?*
[3] fahrbaren Tisch: *tea wagon.*

„Kaffee, einfach Kaffee, Pat. Ich bin vom Lande. Und du?“

„Ich trinke mit dir Kaffee.“

„Aber sonst trinkst du Tee?“

„Ja.“

„Da haben wir es.”

„Ich fange schon an, mich an Kaffee zu gewöhnen. Willst du Kuchen dazu? Oder Brötchen?“

„Beides, Pat. Ich werde nachher auch noch Tee trinken. Ich muß alles versuchen, was es hier bei dir gibt.“

Sie lachte und packte meinen Teller voll. Ich wehrte ab. „Genug, genug!“

Ich hatte mittags nur eine Tasse Bouillon getrunken. Es war deshalb nicht besonders schwer, alles aufzuessen, was da war. Dazu trank ich, ermuntert von Pat, auch die ganze Kanne Kaffee leer.

Wir saßen am Fenster und rauchten. Der Abend stand rot über den Dächern. „Es ist schön bei dir, Pat,“ sagte ich. „Ich könnte verstehen, daß man wochenlang keinen Schritt hinaustäte.“

Sie lächelte. „Es gab eine Zeit, da konnte ich garnicht erwarten, hier herauszukommen.“

„Wann denn?“

„Als ich krank war.“

„Das ist was anderes. Was hast du denn gehabt?“

„Nichts sehr Schlimmes. Ich mußte nur liegen. Ich war wohl zu schnell gewachsen und hatte zu wenig zu essen bekommen. Im Krieg und nach dem Kriege gabs ja nicht viel.“

Ich nickte. „Wie lange hast du denn gelegen?“

Sie zögerte einen Augenblick. „Ungefähr ein Jahr.“

„Das ist aber sehr lange.“ Ich sah sie aufmerksam an.

„Es ist jetzt längst vorbei. Aber damals erschien es mir wie ein ganzes Leben. Du hast mir in der Bar einmal von deinem Freunde Valentin erzählt. Daß er nie vergessen konnte nach dem Kriege, welch ein Glück es sei, zu leben. Und daß ihm alles andere gleichgültig wurde darüber.“

„Das hast du gut behalten,“ sagte ich.

„Weil ich es gut verstehe. Ich kann mich seit damals auch so leicht freuen. Ich glaube, ich bin sehr oberflächlich.“

„Oberflächlich sind nur Leute, die glauben, daß sie es nicht sind.“

„Ich bin es aber bestimmt. Ich habe nicht viel Verständnis für die großen Dinge des Lebens. Nur für die schönen. Dieser Flieder hier macht mich schon glücklich.“

Dann stand sie auf und ging zu einem Schränkchen. „Weißt du, was ich hier habe? Rum für dich. Guten Rum, glaube ich.“ Sie stellte ein Glas auf den Tisch und sah mich erwartungsvoll an.

„Der Rum ist gut, das rieche ich schon von weitem,“ sagte ich.

Der Rum war, das sah ich schon an der Farbe, Verschnitt.[4] Der Händler hatte Pat bestimmt betrogen. Ich trank das Glas aus. „Höchste Klasse,“ sagte ich, „gib mir noch einen. Wo hast du ihn her?“

„Aus dem Geschäft an der Ecke.“

Aha, dachte ich, natürlich so ein verdammter Delikatessenladen. Ich nahm mir vor, gelegentlich mal reinzusehen und dem Mann Bescheid zu sagen.

„Lebwohl Pat,“ sagte ich. „Es war schön bei dir. Viel schöner für mich, als du dir vielleicht denken kannst. Und das mit dem Rum — daß du daran gedacht hast —“

[4] Der Rum war . . . Verschnitt: *The rum was . . . adulterated* (“*cut*”).

„Aber das war doch so einfach —“

„Für mich nicht. Bin es nicht so gewöhnt.“

VIII

Der Morgen stand hell und funkelnd über den Wiesen. Pat und ich saßen am Rande einer Waldlichtung und frühstückten. Ich hatte mir zwei Wochen Urlaub genommen und war mit Pat unterwegs. Wir wollten ans Meer.

Vor uns auf der Straße stand ein kleiner, alter Citroën. Köster hatte ihn mir mitgegeben für die Zeit des Urlaubs. Er sah aus wie ein geduldiger Packesel, so beladen war er mit Koffern.

„Hoffentlich bricht er unterwegs nicht zusammen,“ sagte ich.

„Er bricht nicht zusammen,“ erwiderte Pat.

„Woher weißt du das?“

„Das weiß man. Weil es unser Urlaub ist, Robby.“

„Mag sein,“ sagte ich. „Aber ich kenne außerdem seine Hinterachse. Die sieht traurig aus. Besonders bei der Belastung.“

„Er ist ein Bruder von Karl. Er wird durchhalten.“

„Ein mächtig rachitischer Bruder.“

„Laß das Lästern, Robby. Er ist augenblicklich der schönste Wagen, den ich kenne.“

Wir lagen eine Zeitlang nebeneinander in der Wiese. Der Wind kam warm und weich vom Walde her. Es roch nach Harz und Kräutern.

Aus den Tannen rief ein Kuckuck. Pat fing an, mitzuzählen.

„Wozu machst du das?“ fragte ich.

„Weißt du das nicht? So oft er ruft, soviele Jahre lebt man noch.“

„Ach so, ja. Aber da gibt es noch etwas anderes. Wenn ein Kuckuck ruft, muß man sein Geld schütteln. Dann vermehrt es sich.“

Ich holte mein Kleingeld aus der Tasche und schüttelte es kräftig zwischen den hohlen Händen.[1]

„Das bist du,“ [2] sagte Pat und lachte. „Ich will Leben und du willst Geld.“

Ich steckte mein Geld wieder in die Tasche und zündete mir eine Zigarette an. „Willst du noch nicht bald mit dem Zählen aufhören?“ fragte ich. „Du kommst ja schon weit über siebzig Jahre.“

„Hundert, Robby! Hundert ist eine gute Zahl. So weit möchte ich kommen.“

„Alle Achtung, das ist Mut! Aber was willst du nur damit anfangen?“

Sie streifte mich mit einem raschen Blick. „Das werde ich schon sehen. Ich habe ja andere Ansichten darüber als du.“

„Das sicher. Übrigens sollen nur die ersten siebzig die schwierigsten sein. Nachher solls einfacher werden.“

„Hundert!“ verkündete Pat, und wir brachen auf.

Das Meer kam uns entgegen wie ein ungeheures, silbernes Segel. Schon lange vorher spürten wir seinen salzigen Hauch; — der Horizont wurde immer weiter und heller, und plötzlich lag es vor uns, unruhig, mächtig und ohne Ende.

Die Straße führte in einem Bogen bis dicht heran. Dann kam ein Wald und hinter ihm ein Dorf. Wir erkundigten

[1] zwischen den hohlen Händen: *in my cupped hands.*
[2] Das bist du: *Just like you.*

uns nach dem Hause, wo wir wohnen sollten. Es lag ein Stück außerhalb des Dorfes. Köster hatte uns die Adresse gegeben. Er war nach dem Kriege ein Jahr lang dort gewesen.

Es war eine kleine, alleinstehende Villa. Ich fuhr den Citroën in elegantem Bogen vor und gab Signal. Ein breites Gesicht erschien hinter einem der Fenster, glotzte bleich einen Augenblick und verschwand. „Hoffentlich ist das nicht Fräulein Müller," sagte ich.

„Ganz egal, wie sie aussieht," erwiderte Pat.

Die Tür öffnete sich. Gottlob, es war nicht Fräulein Müller. Es war das Dienstmädchen. Fräulein Müller, die Besitzerin des Hauses, erschien eine Minute später. Eine altjüngferliche, zierliche Dame mit grauen Haaren.

„Ich glaube, Herr Köster hat uns schon angemeldet," sagte ich.

„Ja, er hat mir telegraphiert, daß Sie kommen. Wie geht es Herrn Köster denn?"

„Ach, ganz gut, — soweit man das heute sagen kann. Haben Sie noch Zimmer für uns?"

„Wenn Herr Köster telegraphiert, bekommen Sie immer ein Zimmer," erklärte Fräulein Müller. „Sie bekommen sogar mein schönstes," sagte sie zu Pat.

Pat lächelte. Fräulein Müller lächelte auch. „Ich werde es Ihnen zeigen," sagte sie.

Beide gingen nebeneinander einen schmalen Weg entlang, der durch einen kleinen Garten führte.

Ich hatte eine Stunde geschwommen und lag am Strande in der Sonne. Pat war noch im Wasser. Ihre weiße Badekappe tauchte ab und zu zwischen dem blauen Schwall der Wellen auf. Ein paar Möwen kreischten. Am Horizont zog langsam ein Dampfer mit wehender Rauchfahne vorüber.

Die Sonne brannte. Ich schloß die Augen und streckte mich lang aus. Der heiße Sand knisterte. Das Geräusch der schwachen Brandung rauschte mir in den Ohren.

„Robby!“ rief Pat.

Ich öffnete die Augen. Einen Moment mußte ich mich besinnen, wo ich war.

„Robby!“ rief Pat noch einmal und winkte.

Ich griff ihren Bademantel vom Boden auf und ging ihr rasch entgegen. „Du bist viel zu lange im Wasser gewesen,“ sagte ich.

„Ich bin ganz warm,“ erwiderte sie atemlos.

Ich küßte sie auf die feuchte Schulter. „Anfangs mußt du etwas vernünftiger sein.“

Sie schüttelte den Kopf und sah mich strahlend an. „Ich bin lange genug vernünftig gewesen.“

„So?“

„Natürlich. Viel zu lange! Ich will endlich einmal unvernünftig sein!“

Sie lachte und legte ihre Wange an mein Gesicht. „Wir wollen unvernünftig sein, Robby! An nichts denken, an überhaupt nichts denken, nur an uns und die Sonne und die Ferien und das Meer!“

„Gut,“ sagte ich und nahm das Frottiertuch. „Zunächst will ich dich mal trocken reiben. Woher bist du eigentlich schon so braun?“

Sie zog den Bademantel an. „Das stammt noch aus meinem vernünftigen Jahr. Da mußte ich jeden Tag auf dem Balkon eine Stunde in der Sonne liegen. Und abends um acht Uhr schlafen gehen. Heute abend gehe ich um acht Uhr noch einmal baden.“

„Das werden wir sehen,“ sagte ich.

Mit dem Baden abends wurde es nichts. Wir machten

noch einen Gang zum Dorf und eine Fahrt mit dem Citroën durch die Dämmerung, — dann wurde Pat plötzlich sehr müde und verlangte nach Hause. Ich hatte das schon oft bei ihr gesehen. Sie hatte nicht viel Kraft und gar keine Reserven. Sie verbrauchte immer alles, was sie an Lebenskraft in sich hatte, und schien dann unerschöpflich zu sein in ihrer geschmeidigen Jugend, — aber auf einmal kam dann der Augenblick, wo ihr Gesicht blaß wurde und ihre Augen sich tief verschatteten, — dann war es zu Ende. Sie wurde nicht langsam müde, sie wurde es von einer Sekunde zur andern.

„Fahren wir nach Hause, Robby," sagte sie, und ihre dunkle Stimme war noch tiefer als sonst.

„Nach Hause? Zu Fräulein Elfriede Müller?"

„Nach Hause, Robby," sagte Pat und lehnte sich müde an meine Schulter. „Es ist unser zuhause." [3]

Ich nahm eine Hand vom Steuerrad und legte sie um ihre Schultern. So fuhren wir langsam durch die blaue, neblige Dämmerung, und als wir schließlich die erleuchteten Fenster des kleinen Hauses erblickten, das sich in die flache Talmulde einschmiegte wie ein dunkles Tier, war wirklich etwas wie Nachhausekommen dabei.

IX

Ich saß am Strande und sah zu, wie die Sonne unterging. Pat war nicht mitgekommen. Sie hatte sich den Tag über [1] nicht wohl gefühlt.

[3] Es ist unser zuhause: *It is home for us.*
[1] den Tag über: *all day.*

Als es dunkel wurde, stand ich auf, um nach Hause zu gehen. Da sah ich hinter dem Walde das Dienstmädchen herankommen. Es winkte und rief etwas. Ich verstand es nicht; der Wind und das Meer waren zu laut. Ich winkte zurück, sie solle stehen bleiben, ich käme schon. Aber sie lief weiter und hob die Hände zum Mund. „Frau —" verstand ich, — „rasch —" Ich lief. „Was ist los?"

Sie jappte nach Luft. „Rasch — Frau — Unglück —"

Ich rannte den Sandweg entlang, durch den Wald, dem Hause zu. Das hölzerne Gartentor verhedderte sich, ich sprang hinüber und stürzte ins Zimmer. Da lag Pat auf dem Bett, mit blutiger Brust und gekrampften Händen, und Blut lief ihr aus dem Munde. Neben ihr stand Fräulein Müller mit Tüchern und einer Schale Wasser.

„Was ist los?" rief ich und schob sie beiseite.

Sie sagte etwas. „Bringen Sie Verbandszeug!" rief ich. „Wo ist die Wunde?"

Sie sah mich mit zitternden Lippen an. „Es ist keine Wunde —" Ich richtete mich auf. „Ein Blutsturz," sagte sie.

Mir war,[2] als hätte ich einen Hammerschlag erhalten. „Ein Blutsturz?" Ich sprang auf und nahm ihr die Schüssel mit Wasser aus der Hand. „Holen Sie Eis, holen Sie rasch etwas Eis."

Ich tauchte das Handtuch in die Schüssel und legte es Pat auf die Brust. „Wir haben kein Eis im Hause," sagte Fräulein Müller.

Ich drehte mich um. Sie wich zurück. „Holen Sie Eis, um Gotteswillen,[3] schicken Sie zur nächsten Kneipe, und telefonieren Sie sofort dem Arzt!"

[2] Mir war: *I felt.*
[3] um Gotteswillen: *for goodness' sake!*

„Wir haben doch kein Telefon —“

„Verflucht! Wo ist das nächste Telefon?“

„Bei Maßmann.“

„Laufen Sie hin. Schnell. Telefonieren Sie sofort an den nächsten Arzt. Wie heißt er? Wo wohnt er?“

Ehe sie einen Namen nannte, schob ich sie hinaus. „Schnell, schnell, laufen Sie rasch! Wie weit ist es?“

„Drei Minuten,“ sagte die Frau und hastete los.

„Bringen Sie Eis mit!“ rief ich ihr nach.

Sie nickte und lief.

Ich holte Wasser und tauchte das Handtuch wieder ein. Ich wagte Pat nicht anzurühren. Ich wußte nicht, ob sie richtig lag, ich war verzweifelt, weil ich es nicht wußte, das einzige, was ich wissen mußte: ob ich ihr Kissen unter den Kopf schieben oder sie flach hinlegen sollte.

Fräulein Müller trat ein. Sie sah mich an wie ein Gespenst.

„Was sollen wir machen?“ rief ich.

„Der Arzt kommt sofort,“ flüsterte sie, „Eis — auf die Brust, und wenn sie kann, in den Mund —“

„Tief oder hoch legen, so reden Sie doch, rasch.“

„So lassen — er kommt sofort —“

Ich packte Pat die Eisstücke auf die Brust, erlöst, daß ich etwas tun konnte, ich schlug Eis klein für Kompressen und legte sie auf und sah immer nur diesen süßen, geliebten, verzerrten Mund.

Da rasselte ein Fahrrad. Ich sprang hoch. Der Arzt. „Kann ich helfen?“ fragte ich. Er schüttelte den Kopf und packte seine Tasche aus. Ich stand dicht bei ihm am Bett und umklammerte die Pfosten. Er sah auf. Ich ging einen Schritt zurück und behielt ihn fest im Auge.[4] Er betrachtete die Rippen Pats. Pat stöhnte.

[4] behielt ihn fest im Auge: *kept my eye upon him.*

„Ist es gefährlich?“ fragte ich.

„Wo war Ihre Frau in Behandlung?“ fragte er zurück.

„Was? In Behandlung?“ stotterte ich.

„Bei welchem Arzt?“ fragte er ungeduldig.

„Ich weiß nicht —“ antwortete ich — „nein, ich weiß nichts — ich glaube nicht —“

Er sah mich an. „Das müssen Sie doch wissen —“

„Ich weiß es aber nicht. Sie hat mir nie etwas davon gesagt.“ Er beugte sich zu Pat herunter und fragte. Sie wollte antworten. Aber wieder brach der Husten rot durch. Der Arzt fing sie auf. „Jaffé,“ stieß sie gurgelnd hervor.

„Felix Jaffé? Professor Felix Jaffé?“ fragte der Arzt. Sie nickte mit den Augen. Er wendete sich zu mir. „Können Sie ihm telefonieren? Es ist besser, ihn zu fragen.“

„Ja, ja,“ antwortete ich, „ich werde sofort. Ich hole Sie dann! Jaffé?“

„Felix Jaffé,“ sagte der Arzt, „verlangen Sie bei der Auskunft die Nummer.“

„Kommt sie durch?“ fragte ich.

„Sie muß aufhören zu bluten,“ sagte der Arzt.

Ich faßte das Mädchen und rannte los, den Weg entlang. Sie zeigte mir das Haus mit dem Telefon. Ich klingelte. Eine kleine Gesellschaft saß bei Kaffee und Bier. Ich umfaßte sie mit einem Blick und begriff nicht: daß Menschen Bier tranken, während Pat blutete. Ich verlangte ein dringendes Gespräch und wartete am Apparat.

Endlich meldete sich die Nummer. Ich fragte nach dem Professor. „Bedaure,“ sagte die Schwester, „Professor Jaffé ist ausgegangen.“

Mein Herz hörte auf zu schlagen und haute dann wie ein Schmiedehammer los. „Wo ist er denn? Ich muß ihn sofort sprechen.“

„Ich weiß es nicht. Vielleicht ist er noch einmal in die Klinik gegangen."

„Bitte, rufen Sie die Klinik an. Ich warte hier. Sie haben doch noch einen zweiten Apparat."

„Einen Moment." Das Sausen setzte wieder ein. Die Stimme der Schwester kam wieder. „Professor Jaffé ist aus der Klinik schon fortgegangen."

„Wohin?"

„Ich kann es Ihnen wirklich nicht sagen, mein Herr."

Aus. Ich lehnte mich an die Wand. „Hallo!" sagte die Schwester, „sind Sie noch da?"

„Ja — hören Sie, Schwester, Sie wissen nicht, wann er zurückkommt?"

„Das ist ganz unbestimmt."

„Hinterläßt er das denn nicht?[5] Das muß er doch. Wenn mal was passiert, muß er doch zu erreichen sein."

„Es ist ein Arzt in der Klinik."

„Können Sie denn den" — nein, es hatte ja keinen Zweck, der wußte es ja nicht — „gut, Schwester," sagte ich totmüde, „wenn Professor Jaffé kommt, bitten Sie ihn, sofort dringend hier anzurufen." Ich sagte ihr die Nummer.

„Sie können sich darauf verlassen, mein Herr." Sie wiederholte die Nummer und hängte ab.

Ich stand da, allein. Ich sah mich um. Ich war fertig hier. Ich brauchte den Leuten nur noch zu sagen, daß sie mich holten, wenn angerufen wurde. Aber ich konnte mich nicht entschließen, das Telefon loszulassen. Es war, als ließe ich ein Rettungsseil los. Und plötzlich hatte ich es. Ich hob den Hörer wieder ab und sagte Kösters Nummer hinein. Er mußte da sein. Es ging einfach nicht anders.[6]

[5] Hinterläßt er das denn nicht? *Doesn't he leave word* (where he is to be found)?

[6] Es ging einfach nicht anders: *It couldn't possibly be otherwise.*

Und da kam sie, aus dem Gebrodel der Nacht, die ruhige Stimme Kösters. Ich wurde sofort selbst ruhig und sagte ihm alles. Ich fühlte, er schrieb schon mit.

„Gut," sagte er, „ich fahre sofort los, ihn zu suchen. Ich rufe an. Sei ruhig. Ich finde ihn."

Vorbei. Vorbei? Die Welt stand stille. Der Spuk war aus.[7] Ich lief zurück.

„Nun?" fragte der Arzt, „haben Sie ihn erreicht?"

„Nein," sagte ich, „aber ich habe Köster erreicht."

„Köster? Kenne ich nicht! Was hat er gesagt? Wie hat er sie behandelt?"

„Behandelt? Behandelt hat er sie nicht. Köster sucht ihn."

„Wen?"

„Jaffé."

„Herrgott, wer ist denn dieser Köster?"

„Ach so [8] — entschuldigen Sie. Köster ist mein Freund. Er sucht Professor Jaffé. Ich konnte ihn nicht erreichen."

„Schade," sagte der Arzt und wendete sich wieder Pat zu.

„Er wird ihn erreichen," sagte ich. „Wenn er nicht tot ist, wird er ihn erreichen."

Der Arzt sah mich an, als ob ich verrückt geworden wäre. Dann zuckte er die Achseln.

Das Licht der Lampe brütete im Zimmer. Ich fragte, ob ich helfen könne. Der Arzt schüttelte den Kopf. Ich starrte aus dem Fenster. Pat röchelte. Ich schloß das Fenster und stellte mich in die Tür. Ich beobachtete den Weg.

Plötzlich hörte ich rufen. „Telefon!"

Ich drehte mich um. „Telefon. Soll ich hingehen?"

Der Arzt sprang auf. „Nein, ich. Ich kann ihn besser

[7] Der Spuk war aus: *The spell was broken.*
[8] Ach so: *Oh, I see!*

fragen. Bleiben Sie hier. Tun Sie nichts weiter. Ich komme sofort wieder."

Ich setzte mich zu Pat an das Bett. „Pat," sagte ich leise. „Wir sind alle da. Wir passen auf. Es wird dir nichts passieren. Es darf dir nichts passieren. Der Professor spricht jetzt schon. Er sagt uns alles. Morgen kommt er sicher selbst. Er wird dir helfen. Du wirst gesund werden. Weshalb hast du mir denn nie etwas davon gesagt, daß du noch krank bist? Das bißchen Blut ist nicht schlimm, Pat. Wir geben es dir wieder. Köster hat den Professor geholt. Jetzt ist alles gut, Pat."

Der Arzt kam zurück. „Es war nicht der Professor —"

Ich stand auf.

„Es war ein Freund von Ihnen, Lenz."

„Köster hat ihn nicht gefunden?"

„Doch. Er hat ihm Anweisungen gegeben. Ihr Freund Lenz hat sie mir telefoniert. Ganz klar und richtig sogar. Ist Ihr Freund Lenz Arzt?"

„Nein. Er wollte es werden. Und Köster?"

Der Arzt sah mich an. „Lenz hat telefoniert, Köster sei vor wenigen Minuten abgefahren. Mit dem Professor."

Ich mußte mich anlehnen. „Otto," sagte ich.

„Ja," fügte der Arzt hinzu, „das ist das einzige, was er falsch gesagt hat. Er hat gemeint, sie wären in zwei Stunden hier. Ich kenne die Strecke. Sie brauchen bei schärfster Fahrt [9] über drei Stunden. Immerhin —"

„Doktor," erwiderte ich, „Sie können sich drauf verlassen. Wenn er sagt zwei Stunden, dann ist er in zwei Stunden hier."

„Es ist unmöglich. Die Strecke ist kurvig, und es ist Nacht."

„Warten Sie ab," sagte ich.

[9] bei schärfster Fahrt: *at the fastest speed.*

Ich konnte es nicht mehr aushalten. Ich ging ins Freie. Draußen war es nebelig geworden. Das Meer rauschte in der Ferne. Von den Bäumen tropfte es. Ich sah mich um. Ich war nicht mehr allein. Hinter dem Horizont im Süden heulte jetzt ein Motor. Hinter den Nebeln raste die Hilfe über die blassen Straßen, die Scheinwerfer spritzten Licht, die Reifen pfiffen und zwei Hände hielten eisern das Steuer, zwei Augen bohrten sich in das Dunkel, kalt, beherrscht: die Augen meines Freundes —

Wie Blei brütete die klebrige Wärme in der Stube. „Hört es noch nicht auf?" fragte ich.

„Nein," sagte der Arzt.

Pat sah mich an. Ich lächelte ihr zu. Es wurde eine Grimasse.

„Noch eine halbe Stunde," sagte ich.

Der Arzt blickte auf. „Noch anderthalb Stunden, wenn nicht zwei. Es regnet."

Ich ging zum hundertsten Male vor die Türe. Es war sinnlos, ich wußte es; aber es verkürzte das Warten. Die Luft war diesig. Ich fluchte; ich wußte, was das für Köster hieß. Ein Käfer summte irgendwo — aber er kam nicht näher — er kam nicht näher. Er summte gleichmäßig leise; jetzt setzte er einmal aus — jetzt war er wieder da — jetzt noch einmal — ich zitterte plötzlich — das war kein Käfer, das war ein sehr weiter Wagen, der mit hohen Touren in die Kurve ging.[10] Ich stand stocksteif, ich hielt den Atem an und machte den Mund auf, um besser hören zu können: Wieder — wieder — das leise, hohe Summen, wie eine zornige Wespe. Und jetzt stärker, ich unterschied den Ton des Kompressors deutlich. Ich sprang

[10] mit hohen Touren in die Kurve ging: *was taking the curve at high speed.*

zurück, ich hielt mich an der Tür, ich sagte: „Sie kommen! Doktor, Pat, sie kommen. Ich höre sie schon!"

Der Arzt hatte mich schon den ganzen Abend für ziemlich verrückt gehalten. Er stand auf und horchte ebenfalls. „Es wird ein anderer Wagen sein," sagte er schließlich.

„Nein, ich kenne den Motor."

Er sah mich gereizt an. Er schien sich für einen Autofachmann zu halten. Er war geduldig und vorsichtig wie eine Mutter mit Pat; aber sowie ich von Autos redete, funkelte er mich durch seine Brille an und wußte es besser. „Unmöglich," sagte er kurz und ging wieder hinein.

Ich blieb draußen. Ich zitterte vor Erregung. „Karl! Karl!" sagte ich. Jetzt wechselten gedämpfte und heulende Schläge; — der Wagen mußte im Dorf sein, er fuhr in irrsinnigem Tempo zwischen den Häusern durch. Jetzt wurde das Heulen schwächer; er war hinter dem Wald — und jetzt schwoll es an, rasend, jubelnd, ein heller Strich wischte durch den Nebel, die Scheinwerfer, ein Donnern, der Arzt stand fassungslos neben mir, jäh blendete uns das voll heranschießende Licht, und mit knirschendem Ruck hielt der Wagen vor der Gartentür. Ich rannte hin. Der Professor stieg gerade aus. Er beachtete mich nicht, sondern ging auf den Arzt zu. Hinter ihm kam Köster. „Wie geht es ihr?" sagte er.

„Sie blutet noch."

„Kommt vor," sagte er, „brauchst dich noch nicht zu ängstigen."

Ich schwieg und sah ihn an.

„Hast du eine Zigarette?" fragte er.

Ich gab sie ihm. „Gut, daß du gekommen bist, Otto."

Er rauchte mit tiefen Zügen. „Dachte, es wäre besser so."

„Du bist sehr schnell gefahren."

„Es ging. Hatte bloß ein Stück Nebel.“

Wir saßen auf der Bank nebeneinander und warteten. „Denkst du, daß sie durchkommt?“ fragte ich.

„Natürlich. Eine Blutung ist nicht gefährlich.“

„Sie hat mir nie etwas davon gesagt.“

Köster nickte. „Sie muß durchkommen, Otto,“ sagte ich.

Er sah nicht auf. „Gib mir noch eine Zigarette,“ sagte er, „ich habe vergessen, meine einzustecken.“

„Sie muß durchkommen,“ sagte ich.

Der Professor kam heraus. Ich stand auf. „Verdammt will ich sein, wenn ich noch einmal mit Ihnen fahre,“ sagte er zu Köster.

„Entschuldigen Sie,“ sagte Köster, „es ist die Frau meines Freundes.“

„So,“ sagte Jaffé und sah mich an.

„Kommt sie durch?“ fragte ich.

Er betrachtete mich aufmerksam. Ich blickte zur Seite. „Glauben Sie, daß ich solange hier bei Ihnen stände, wenn sie nicht durchkäme?“ sagte er.

Ich biß die Zähne zusammen. Ich preßte die Fäuste ineinander. Ich weinte. „Entschuldigen Sie,“ sagte ich, „es geht etwas zu schnell.“

„Sowas kann gar nicht schnell genug gehen,“ sagte Jaffé und lächelte.

„Nimms nicht übel, Otto,“ sagte ich, „daß ich flenne.“

Er drehte mich bei den Schultern um und stieß mich zur Tür hin. „Geh mal da rein. Wenn der Professor es erlaubt.“

„Bin schon fertig,“ sagte ich, „kann ich rein?“

„Ja, aber nicht sprechen,“ antwortete Jaffé, „und nur einen Augenblick. Sie darf sich nicht aufregen.“

Ich sah nichts als einen schwimmenden Lichtschein im

Wasser. Ich blinzelte. Das Licht schwankte, glitzerte. Ich wagte nicht, mir die Augen zu wischen, damit Pat nicht meinte, ich weinte, weil es so schlecht stände.[11] Ich versuchte nur ein Lachen in das Zimmer hinein. Dann drehte ich mich rasch wieder um.

„War es richtig, daß Sie kamen?" fragte Köster.

„Ja," sagte Jaffé, „es war besser."

„Ich kann Sie morgen früh wieder mit zurücknehmen."

„Lieber nicht," sagte Jaffé.

„Ich werde vernünftig fahren."

„Ich will noch einen Tag bleiben und die Sache beobachten. Ist Ihr Bett frei?" fragte er mich. Ich nickte.

„Gut, dann schlafe ich hier. Können Sie im Dorf unterkommen?"

„Ja. Soll ich Ihnen eine Zahnbürste und ein Pyjama besorgen?"

„Nicht nötig. Habe alles bei mir. Bin immer auf sowas vorbereitet. Wenn auch nicht gerade auf Rennen."

„Entschuldigen Sie," sagte Köster, „ich kann mir gut denken, daß Sie ärgerlich sind."

„Bin ich nicht," sagte Jaffé.

„Dann tuts mir leid, daß ich Ihnen nicht gleich die Wahrheit gesagt habe."

Jaffé lachte — „Sie haben eine schlechte Meinung von Ärzten. Und nun gehen Sie ruhig. Ich bleibe hier."

Ich holte rasch ein paar Sachen für Köster und mich. Wir gingen ins Dorf. „Bist du müde?" fragte ich.

„Nein," sagte er, „wir wollen uns noch irgendwo hinsetzen."

Nach einer Stunde wurde ich unruhig. „Wenn er dableibt, ist es doch sicher gefährlich, Otto," sagte ich. „Weshalb sollte er es sonst tun —"

[11] weil es so schlecht stände: *because things were so bad.*

„Ich glaube, er bleibt aus Vorsicht da," antwortete Köster. „Er mag Pat sehr gern. Er hat es mir erzählt, als wir hier einfuhren. Er hat schon ihre Mutter behandelt —"

„Hat die denn auch —"

„Ich weiß nicht," sagte Köster rasch, „kann auch was anderes gewesen sein. Wollen wir schlafen gehen?"

„Geh ruhig, Otto. Ich möchte doch noch mal — nur so von weitem —"

„Schön. Ich geh mit."

„Ich will dir was sagen, Otto. Ich schlafe sehr gern draußen, bei dem warmen Wetter. Laß dich nicht stören. Habs letzthin schon öfter gemacht."

„Es ist ja naß."

„Das macht nichts. Ich mache Karls Verdeck hoch und setze mich da ein bißchen rein."

„Gut. Ich schlafe auch gern mal draußen."

Ich merkte, daß ich ihn nicht loswurde. Wir packten ein paar Decken und Kissen zusammen und gingen zurück zu Karl. Wir machten die Gurtbänder los und drückten die Vordersitze nach hinten. So konnte man ganz gut liegen. „Besser als manchmal im Felde," sagte Köster.

Der helle Fleck des Fensters schien durch die diesige Luft. Ein paar mal sah ich den Schatten Jaffés davor. Wir rauchten eine Schachtel Zigaretten leer. Dann wurde das Licht abgeschaltet, und es brannte nur noch die kleine Nachttischlampe.

„Gottseidank," sagte ich.

Es rieselte auf das Verdeck. Ein schwacher Wind wehte. Es wurde kühl. „Kannst meine Decke auch noch haben, Otto," sagte ich.

„Nein, laß man,[12] bin warm genug."

[12] laß man: *don't do that.*

„Tadelloser Kerl, der Jaffé, was?"
„Tadellos. Sehr tüchtig, glaube ich."
„Bestimmt."

X

Es war zwei Wochen später. Pat hatte sich soweit erholt, daß wir zurückreisen konnten. Wir hatten unsere Sachen gepackt und warteten auf Gottfried Lenz. Er sollte den Wagen abholen. Pat und ich wollten mit der Eisenbahn fahren.

Gottfried kam nach dem Mittagessen an. Ich sah seinen blonden Kopf schon von weitem über die Hecken leuchten. Erst als er in den Fahrweg zur Villa Fräulein Müllers einbog, bemerkte ich, daß er nicht allein war; — neben ihm tauchte eine Rennfahrerimitation in Miniaturformat auf, — eine riesige karierte Mütze, die mit dem Schild nach hinten aufgesetzt war, eine mächtige Staubbrille, ein weißer Overall und ein paar gewaltige, rubinrot leuchtende Ohren.

„Mein Gott, das ist ja Jupp!" sagte ich erstaunt.

„Persönlich, Herr Lohkamp!" erwiderte Jupp grinsend.

„Und in dem Aufzug! Was ist denn bloß los mit dir?"

„Das siehst du doch," erklärte Lenz vergnügt und schüttelte mir die Hand. „Er wird zum Rennfahrer herangebildet. Seit acht Tagen bekommt er bei mir Fahrunterricht. Da hat er mich angefleht, daß ich ihn heute mitnehmen soll. Gute Gelegenheit für ihn, seine erste Überlandtour zu machen."

Ich mußte lachen. „Du fängst ja gut an, Jupp."

Gottfried blickte mit väterlichem Stolz auf seinen Fahrschüler herab. „Zunächst schnapp dir jetzt mal die Koffer und bring sie zum Bahnhof."

„Allein?" Jupp explodierte fast vor Spannung. „Darf ich das Stück bis zum Bahnhof ganz allein fahren, Herr Lenz?" Gottfried nickte, und Jupp raste ins Haus.

Pat und ich saßen noch eine Weile vor dem Bahnhof auf einer Bank. Die heiße, weiße Sonne lag breit auf der hölzernen Wand, die den Bahnsteig absperrte. Es roch nach Harz und Salz. Pat lehnte den Kopf zurück und schloß die Augen. Sie saß ganz still, das Gesicht der Sonne zugewendet.

„Bist du müde?" fragte ich.

Sie schüttelte den Kopf. „Nein, Robby."

„Da kommt der Zug," sagte ich.

Die Lokomotive stampfte heran, schwarz, klein und verloren vor der zitternden, großen Weite. Wir stiegen ein. Der Zug war wenig besetzt. Er fuhr schnaufend an. Der Rauch der Lokomotive blieb dick und schwarz in der Luft stehen. Langsam drehte sich die Landschaft vorbei, — das Dorf mit den braunen Strohdächern, die Wiesen mit Kühen und Pferden, der Wald, und dann, friedlich und sehr verschlafen in der Mulde hinter den Dünen, das Haus von Fräulein Müller.

„Da ist Fräulein Müller," sagte Pat.

„Ja, wahrhaftig."

Sie stand vor der Haustür und winkte. Pat holte ihr Taschentuch hervor und ließ es zum Fenster hinausflattern.

„Das sieht sie nicht," sagte ich, „es ist zu klein und zu dünn. Hier, nimm meines."

Sie nahm es und winkte. Fräulein Müller winkte heftig zurück.

Der Zug gewann allmählich das freie Feld. Das Haus

versank, und die Dünen blieben zurück. Hinter dem schwarzen Strich des Waldes blinkte eine Zeitlang noch ab und zu das Meer auf. Es blinkte wie ein lauerndes, müdes Auge. Dann kam das sanfte Goldgrün der Felder und dehnte sich im weichen Wind der Ähren bis zum Horizont.

Pat gab mir mein Taschentuch zurück und setzte sich in eine Ecke. Ich zog das Fenster hoch. Vorbei! dachte ich, Gottseidank, vorbei! Es war nichts als ein Traum! Ein verfluchter, böser Traum!

Kurz vor sechs Uhr kamen wir in der Stadt an. Ich nahm ein Taxi und verstaute die Koffer. Dann fuhren wir nach Hause.

Wir gingen in das Zimmer. Es war heller, früher Abend draußen. Auf dem Tisch stand eine Glasvase mit blaßroten Rosen. Pat ging ans Fenster und sah hinaus. Dann wandte sie sich um. „Wie lange waren wir eigentlich fort, Robby?"

„Genau achtzehn Tage."

„Achtzehn Tage. Mir kommt es viel länger vor."

„Mir auch. Das ist aber immer so, wenn man mal rauskommt."

Sie schüttelte den Kopf. „Das meine ich nicht —"

Sie öffnete die Balkontür und trat hinaus. Draußen lehnte ein zusammengeklappter, weißer Liegestuhl an der Wand. Sie schob ihn zu sich heran und sah ihn schweigend an.

Als sie wieder hereinkam, war ihr Gesicht verändert, und ihre Augen waren dunkel.

„Sieh nur die Rosen," sagte ich. „Sie sind von Köster. Hier liegt seine Karte dabei."

Sie nahm die Karte auf und legte sie dann wieder auf den Tisch. Sie sah die Rosen an, aber ich sah, daß sie sie kaum bemerkte. Sie war mit ihren Gedanken noch bei dem Liegestuhl. Sie hatte geglaubt, ihm schon entronnen zu sein, und nun wurde er vielleicht doch wieder ein Teil ihres Lebens.

Es klopfte. Das Dienstmädchen kam mit dem Teewagen.

„Das ist gut," sagte Pat.

„Willst du Tee?" fragte ich.

„Nein, Kaffee, guten, starken Kaffee."

Ich blieb noch eine halbe Stunde. Dann wurde sie müde. Ich sah es an ihren Augen. „Du solltest etwas schlafen," schlug ich vor.

„Und du?"

„Ich muß noch mal in die Werkstatt."

Sie fragte nichts mehr. Sie war sehr müde und fiel nur so zusammen. Ich brachte sie zu Bett und deckte sie zu. Sie schlief sofort ein. Ich stellte die Rosen neben sie und legte auch die Karte Kösters hinzu, damit sie gleich etwas hatte, um daran zu denken, wenn sie aufwachte. Dann ging ich.

XI

Ich mußte ein paar Minuten auf Jaffé warten. Eine Schwester führte mich in ein kleines Zimmer, in dem alte Zeitschriften umherlagen. Es waren immer dieselben Zeitschriften in braunen Umschlägen; man fand sie nur in Wartezimmern von Ärzten und Krankenhäusern.

Jaffé kam herein. Er trug einen schneeweißen Mantel, der noch die Plättkniffe zeigte.

„Ich habe Ihnen versprochen, zu sagen, wie es mit Patrice steht,“ sagte Jaffé.

Ich nickte und sah auf die Tischdecke.

„Sie war vor zwei Jahren sechs Monate im Sanatorium. Wissen Sie das?“

„Nein,“ sagte ich und sah weiter auf die Tischdecke.

„Es hatte sich danach gebessert. Ich habe sie jetzt genau untersucht. Sie muß diesen Winter unbedingt noch einmal hin. Sie kann nicht hier in der Stadt bleiben.“

„Wann muß sie fort?“ fragte ich.

„Im Herbst. Spätestens Ende Oktober.“

„Es war also keine vorübergehende Blutung?“

„Nein.“

Ich hob die Augen. „Ich brauche Ihnen wohl nicht zu sagen,” fuhr Jaffé fort, „daß diese Krankheit ganz unberechenbar ist. Vor einem Jahr schien sie zu stehen, die Verkapselung war eingetreten, und es war anzunehmen, daß sie geschlossen blieb. Ebenso, wie sie jetzt wieder aufgebrochen ist, kann sie überraschend wieder zum Stillstand kommen. Ich sage das nicht so daher,[1] — es ist wirklich so. Ich selbst habe merkwürdige Heilungen erlebt.“

„Verschlimmerungen auch?“

Er sah mich an. „Das auch, natürlich.“

Er begann mir die Einzelheiten zu erklären. Beide Lungen waren angegriffen, der rechte weniger, der linke stärker. Dann unterbrach er sich und klingelte nach der Schwester. „Holen Sie einmal meine Mappe.“

Die Schwester brachte sie. Jaffé nahm zwei große Photographien heraus. Er zog die knisternden Umschläge herab und hielt sie gegen das Fenster. „So sehen Sie es besser. Hier haben wir die Röntgenbilder.“

Jaffé zeichnete einzelne Linien und Verfärbungen auf der

[1] Ich sage das nicht so daher: *I'm not merely saying that.*

Platte nach und erklärte sie. Er merkte nicht, daß ich gar nicht mehr hinblickte. Die Gründlichkeit des Wissenschaftlers war über ihn gekommen. Schließlich wandte er sich mir zu. „Haben Sie es verstanden?"

„Ja," sagte ich.

„Was ist denn?" [2] fragte er.

„Nichts," erwiderte ich. „Ich kann das nur nicht gut sehen." [3]

„Ach so." [4] Er rückte an seiner Brille. Dann schob er die Photographien wieder in die Hüllen zurück und musterte mich forschend. „Machen Sie sich keine unnützen Gedanken."

„Das tue ich nicht. Aber es ist ein verdammtes Elend! Millionen Menschen sind gesund! Warum dieser eine nicht?" Jaffé schwieg eine Weile.

„Darauf kann niemand eine Antwort geben," sagte er dann.

„Ja," erwiderte ich, plötzlich furchtbar erbittert und ganz taub vor Wut, „darauf kann niemand eine Antwort geben! Natürlich nicht! Auf das Elend und das Sterben kann niemand eine Antwort geben! Verflucht! Nicht einmal tun kann man etwas dagegen!"

Jaffé sah mich lange an.

„Vor neun Jahren starb meine Frau. Sie war fünfundzwanzig Jahre alt. Nie krank gewesen. Grippe." Er schwieg einen Augenblick. „Sie verstehen, weshalb ich Ihnen das sage?"

Ich nickte.

„Man kann nichts voraus wissen. Der Todkranke kann den Gesunden überleben. Das Leben ist eine sonderbare

[2] Was ist denn? *What's the matter, then?*
[3] Ich kann das nur nicht gut sehen: *I just can't bear to look at that.*
[4] Ach so: *Oh, I see!*

Angelegenheit.“ Sein Gesicht war jetzt sehr faltig. Eine Schwester kam und flüsterte ihm etwas zu. Er reckte sich auf und nickte zum Operationssaal hinüber. „Ich muß jetzt da hinein. Zeigen Sie Pat nicht, wenn Sie Sorge haben. Das ist das Wichtigste. Können Sie das?“

„Ja,“ sagte ich.

Er gab mir die Hand und ging rasch mit der Schwester durch die Glastür in den kalkweiß erleuchteten Saal.

Ich fuhr nach Hause und ging vorsichtig, den Hund an der Leine, hinauf. Auf dem Korridor blieb ich stehen und schaute in den Spiegel. Mein Gesicht war wie sonst. Ich klopfte an Pats Tür, öffnete sie ein wenig und ließ den Hund hinein.

Ich blieb draußen stehen, hielt die Leine fest und wartete. Aber statt Pats Stimme hörte ich unvermutet den Baß Frau Zalewskis.

Aufatmend sah ich hinein. Ich hatte nur Angst vor der ersten Minute mit Pat allein gehabt. Jetzt war alles leicht; Frau Zalewski war ein Prellbock, auf den man sich verlassen konnte. Sie thronte majestätisch am Tisch, eine Tasse Kaffee neben sich, und ein Spiel Karten in mystischer Ordnung vor sich ausgebreitet. Pat hockte mit glänzenden Augen an ihrer Seite und ließ sich die Zukunft weissagen. „Guten Abend,“ sagte ich, plötzlich sehr froh.

„Da kommt er,“ erklärte Frau Zalewski würdig.

Der Hund riß sich los und schoß bellend zwischen meinen Beinen hindurch ins Zimmer.

„Mein Gott!“ [5] rief Pat. „Das ist ja ein irischer Terrier!“

„Alle Achtung!“ sagte ich. „Vor ein paar Stunden habe ich das noch nicht gewußt.“

Sie beugte sich herunter, und der Hund sprang stürmisch an ihr hoch. „Wie heißt er denn, Robby?“

[5] Mein Gott! *My gracious!*

„Keine Ahnung. Wahrscheinlich Kognak oder Whisky oder so,[6] nach seinem letzten Besitzer.“

„Gehört er uns?“

„Soweit ein lebendiges Wesen einem andern gehören kann, ja.“

Sie war ganz atemlos vor Freude. „Wir werden ihn Billy nennen, Robby! Meine Mutter hatte einen als Mädchen. Sie hat mir oft davon erzählt. Er hieß auch Billy!“

„Dann habe ich es ja gut getroffen,“ sagte ich.

„Ist er stubenrein?“ fragte Frau Zalewski.

„Er hat einen Stammbaum wie ein Fürst,“ erwiderte ich. „Und Fürsten sind stubenrein.“

„Wenn sie klein sind, nicht. Wie alt ist er denn?“

„Acht Monate. Das ist soviel wie beim Menschen sechzehn Jahre.“

„Er sieht nicht stubenrein aus,“ erklärte Frau Zalewski. „Er muß mal gewaschen werden, das ist alles.“

Pat stand auf und legte ihren Arm um Frau Zalewskis Schultern. Ich sah ihr perplex zu. „Ich habe mir immer schon einen Hund gewünscht,“ sagte sie. „Wir können ihn doch behalten, nicht wahr? Sie haben doch nichts dagegen?“

Mutter Zalewski wurde zum erstenmal, seit ich sie kannte, verlegen. „Na, also, — meinetwegen,“ erwiderte sie. „Es stand ja auch schon in den Karten. Eine Überraschung über einen Herrn ins Haus.“

„Stand auch drin, daß wir heute abend ausgehen?“ fragte ich.

Pat lachte. „Soweit waren wir noch nicht, Robby. Wir waren erst bei dir.“

Frau Zalewski erhob sich und raffte ihre Karten zusammen.

[6] oder so: *or something of the sort.*

„Pat," sagte ich, als sie fort war, und nahm sie fest in die Arme, „es ist wunderbar, nach Hause zu kommen und dich hier zu finden. Es ist immer wieder eine Überraschung für mich. Wenn ich das letzte Stück der Treppe emporsteige und die Tür aufschließe, habe ich stets Herzklopfen, daß es nicht wahr sein könnte."

Sie blickte mich lächelnd an. Sie antwortete fast nie, wenn ich ihr so etwas sagte. Ich hätte es mir auch nicht vorstellen können und es schlecht ertragen, wenn sie mir vielleicht etwas Ähnliches erwidert hätte; — ich fand, daß eine Frau einem Mann nicht sagen sollte, daß sie ihn liebte. Sie bekam nur strahlende, glückliche Augen, und damit sagte sie mehr als mit noch so vielen Worten.

Ich hielt sie lange fest, ich spürte die Wärme ihrer Haut und den leichten Duft ihres Haares, — ich hielt sie fest, und es war nichts mehr da außer ihr, die Dunkelheit wich zurück, sie war da, sie lebte, sie atmete, und nichts war verloren.

„Gehen wir wirklich fort, Robby?" fragte sie dicht an meinem Gesicht.

„Alle zusammen sogar," erwiderte ich, „Köster und Lenz auch. Karl steht schon vor der Tür."

„Und Billy?"

„Billy kommt natürlich mit. Was sollen wir sonst mit dem Rest des Abendessens machen! Oder hast du schon gegessen?"

„Nein, noch nicht. Ich habe auf dich gewartet."

„Du sollst aber nicht auf mich warten. Nie. Es ist schrecklich, auf etwas zu warten."

Sie schüttelte den Kopf. „Das verstehst du nicht, Robby. Es ist nur schrecklich, nichts zu haben, auf das man warten kann." Sie knipste das Licht vor dem Spiegel an. „Jetzt muß ich aber anfangen, mich anzuziehen, sonst werde ich nicht fertig. Ziehst du dich auch an?"

„Später," sagte ich, „ich bin ja rasch fertig. Laß mich noch etwas hierbleiben."

XII

Mitte Oktober ließ Jaffé mich rufen. Es war zehn Uhr morgens, aber das Wetter war so trübe, daß in der Klinik noch Licht brannte.

Jaffé saß allein in seinem großen Sprechzimmer. Er hob den kahlen, beglänzten Kopf, als ich eintrat. Mürrisch zeigte er auf das große Fenster, gegen das der Regen klatschte. „Was sagen Sie zu diesem verdammten Wetter?"

Ich zuckte die Achseln. „Hoffentlich hört es bald mal auf."

„Das hört nicht auf."

Er sah mich an und schwieg. Dann nahm er einen Bleistift vom Schreibtisch, betrachtete ihn, klopfte damit auf die Platte und legte ihn wieder beiseite.

„Ich kann mir denken, weshalb Sie mich gerufen haben," sagte ich.

Jaffé knurrte irgendetwas.

Ich wartete einen Augenblick. Dann sagte ich: „Pat muß wohl jetzt bald fort —"

„Ja —"

Jaffé starrte ärgerlich vor sich hin. „Ich hatte mit Ende Oktober gerechnet. Aber bei diesem Wetter —" Er griff nach dem silbernen Bleistift.

Der Wind warf einen Schauer Regen prasselnd gegen das Fenster. Es klang wie fernes Maschinengewehrfeuer. „Wann denken Sie, daß sie reisen soll?" fragte ich.

Er sah mich plötzlich von unten herauf voll an. „Morgen," sagte er.

Ich spürte eine Sekunde keinen Boden unter den Füßen. Die Luft war wie Watte und klebte mir in der Lunge. Dann ging es vorüber, und ich fragte, so ruhig ich konnte, aber meine Stimme kam weit her, als fragte ein anderer: „Ist es auf einmal soviel schlimmer geworden?"

Jaffé schüttelte heftig den Kopf und stand auf. „Wenn es sich so schnell verändert hätte, könnte sie doch überhaupt nicht fahren," erklärte er unfreundlich. „Es ist nur besser. Bei diesem Wetter ist jeder Tag eine Gefahr. Erkältungen und sowas —" Er nahm ein paar Briefe vom Schreibtisch. „Ich habe schon alles vorbereitet. Sie brauchen nur abzufahren. Den Chefarzt des Sanatoriums kenne ich seit meiner Studienzeit. Er ist sehr tüchtig. Ich habe ihn genau informiert."

Er gab mir die Briefe. Ich nahm sie, aber ich steckte sie nicht ein. Er sah mich an, dann blieb er vor mir stehen und legte eine Hand auf meinen Arm. Sie war leicht wie ein Vogelflügel, ich spürte sie überhaupt nicht. „Schwer," sagte er leise mit veränderter Stimme, „ich weiß es. Deshalb habe ich auch damit gewartet, solange es ging."

„Es ist nicht schwer —" erwiderte ich.

Er wehrte ab. „Lassen Sie nur —" [1]

„Nein," sagte ich, „so meine ich das auch nicht. Ich möchte nur eines wissen: kommt sie zurück?"

Jaffé schwieg einen Augenblick. Seine dunklen, schmalen Augen glänzten in dem trüben, gelben Licht. „Weshalb wollen Sie das jetzt wissen?" fragte er nach einer Weile.

„Weil es sonst besser ist, daß sie nicht fährt," sagte ich.

Er blickte rasch auf. „Was sagen Sie da?"

[1] Lassen Sie nur: *Don't tell me.*

„Es ist sonst besser, daß sie hierbleibt."

Er starrte mich an. „Wissen Sie auch, was das mit Sicherheit bedeuten würde?" fragte er dann leise und scharf.

„Ja," sagte ich. „Es würde bedeuten, daß sie nicht allein sterben würde. Und was das heißt, weiß ich auch."

Jaffé hob die Schultern hoch, als fröstele er. Dann ging er langsam zum Fenster und sah in den Regen hinaus. Als er zurückkam, war sein Gesicht eine Maske. Er blieb dicht vor mir stehen. „Wie alt sind Sie?" fragte er.

„Dreißig," erwiderte ich. Ich begriff nicht, was er wollte.

„Dreißig," wiederholte er in einem merkwürdigen Tone, als spräche er zu sich selbst und hätte mich gar nicht verstanden. „Dreißig, mein Gott!" Er ging zu seinem Schreibtisch und blieb dort stehen, klein und sonderbar abwesend, ganz verloren neben dem riesigen, blanken Möbel. „Ich bin jetzt bald sechzig," sagte er, ohne mich anzusehen, „aber ich könnte das nicht. Ich würde immer wieder alles versuchen, immer wieder, und wenn ich genau wüßte, daß es zwecklos wäre."

Ich schwieg. Jaffé stand da, als hätte er alles um sich herum vergessen. Dann machte er eine Bewegung, und sein Gesicht verlor den Ausdruck. Er lächelte. „Ich glaube bestimmt, daß sie oben den Winter gut überstehen wird."

„Nur den Winter?" fragte ich.

„Ich hoffe, daß sie dann im Frühjahr wieder herunter kann."

„Hoffen," sagte ich, „was heißt hoffen?"

„Alles," erwiderte Jaffé. „Immer alles. Ich kann Ihnen jetzt nicht mehr sagen. Das andere sind Möglichkeiten. Man muß sehen, wie es oben wird. Aber ich hoffe bestimmt, daß sie im Frühjahr zurückkommen kann."

„Bestimmt?"

„Ja."

„Wir fahren heute abend," sagte ich.

„Heute?"

„Ja. Wenn es schon sein muß, dann ist heute besser als morgen. Ich werde sie hinbringen. Ein paar Tage kann ich schon hier weg." [2]

Er nickte und gab mir die Hand.

Ich ging. Der Weg zur Tür erschien mir sehr weit.

Mittags kam ich nach Hause. Ich hatte alles erledigt und auch dem Sanatorium schon telegraphiert. „Pat," sagte ich noch in der Tür, „kannst du bis heute abend alles gepackt haben?"

„Muß ich fort?"

„Ja," sagte ich. „Ja, Pat."

„Allein?"

„Nein. Wir fahren zusammen. Ich bringe dich hin."

Ihr Gesicht bekam wieder Farbe. „Wann muß ich denn fertig sein?" fragte sie.

„Der Zug fährt heute abend um zehn."

„Und gehst du jetzt noch einmal fort?"

„Nein. Ich bleibe hier, bis wir wegfahren."

Sie atmete tief. „Dann ist es ganz einfach, Robby," sagte sie.

„Wollen wir gleich anfangen?"

„Wir haben noch Zeit."

„Ich möchte lieber gleich anfangen. Dann ist es fertig."

„Gut."

Es war acht Uhr abends. Draußen röhrte ein Klaxon. „Das ist Gottfried mit dem Taxi," sagte ich, „er will uns zum Essen abholen."

[2] Ein paar Tage kann ich schon hier weg: *I can get away for a few days.*

Lenz öffnete die Tür zum Taxi. „Vorsicht!" sagte er.

Der Wagen war voller Rosen. Zwei riesige Büsche weißer und roter Blüten lagen auf den hintern Sitzen. Ich erkannte sofort, woher sie kamen; — aus dem Domgarten. „Die letzten," erklärte Gottfried selbstzufrieden. „Haben eine gewisse Mühe gekostet. Mußte mit einem Pfarrer längere Zeit[3] darüber diskutieren."

„War das einer mit so hellen, blauen Kinderaugen?" fragte ich.

„Aha, also du warst das, Bruder!" erwiderte Gottfried. „Von dir hat er mir also erzählt."

„Hat er dich denn mit den Blumen so losziehen lassen?" fragte ich.

„Er ließ mit sich reden.[4] Zuletzt hat er mir sogar geholfen zu pflücken."

Pat lachte. „Ist das wahr?"

Gottfried schmunzelte. „Natürlich. Es sah fabelhaft aus, wie der geistliche Herr im Halbdunkel nach den höchsten Zweigen sprang. Er entwickelte direkt Sportgeist. Erzählte mir, daß er früher auf dem Gymnasium guter Fußballspieler war."

„Du hast einen Pastor zum Diebstahl verleitet," sagte ich. „Das kostet ein paar hundert Jahre Hölle. Aber wo ist Otto?"

„Der ist schon bei Alfons. Wir gehen doch zu Alfons essen?"

„Ja, natürlich," sagte Pat.

„Also los!"

Köster und Lenz brachten uns zur Bahn. Vor unserm Hause hielten wir einen Augenblick, und ich holte den

[3] längere Zeit: *a rather long time.*
[4] Er ließ mit sich reden: *He listened to reason.*

Hund herunter. Die Koffer hatte Jupp schon zum Bahnhof gebracht.

Wir kamen gerade rechtzeitig an. Kaum waren wir eingestiegen, da fuhr der Zug schon los. Als die Lokomotive anzog, griff Gottfried in die Tasche und reichte mir eine eingewickelte Flasche herauf. „Hier, Robby, nimm das mal. Sowas kann man unterwegs immer gebrauchen."

„Danke," sagte ich, „trinkt sie heute abend selbst, Kinder.[5] Ich habe schon was bei mir."

„Nimm sie," erwiderte Lenz, „man kann nie genug davon haben!" Er ging neben dem fahrenden Zug her und warf mir die Flasche zu. „Auf Wiedersehen, Pat!" rief er. „Wenn wir hier pleite sind, kommen wir alle zu Ihnen hinauf. Otto als Skiläufer, ich als Tanzlehrer, Robby als Klavierspieler. Dann bilden wir eine Truppe mit Ihnen und ziehen von Hotel zu Hotel!"

Der Zug wurde schneller, und Gottfried blieb zurück. Pat lehnte aus dem Fenster und winkte, bis der Bahnhof hinter einer Kurve verschwand. Dann wandte sie sich um. Sie war sehr blaß, und ihre Augen glänzten feucht.

„Du mußt nicht weinen," sagte ich. „Ich war so stolz, daß du nicht geweint hast, den ganzen Tag."

„Ich weine ja garnicht," erwiderte sie und schüttelte den Kopf, und die Tränen liefen ihr über das schmale Gesicht.

Die Tür ging auf. Der Schaffner verlangte die Fahrkarten. Ich gab sie ihm. „Ist die Schlafwagenkarte für die Dame?" fragte er.

Ich nickte.

„Dann müssen Sie in den Schlafwagen gehen," sagte er zu Pat. „Die Karte gilt nicht für die übrigen Abteile."

„Gut."

„Und der Hund muß in den Packwagen," erklärte er.

[5] Kinder: *boys.*

„Schön," sagte ich. „Wo ist denn der Schlafwagen?"

„Rechts der dritte Wagen. Der Packwagen ist ganz vorn."

„Dann wollen wir mal umziehen, Pat," sagte ich.

Ich hatte für mich keinen Schlafwagenplatz genommen. Es machte mir nichts, in einer Abteilecke die Nacht zu verbringen. Außerdem war es billiger.

Als ich aufwachte, war draußen alles weiß. Es schneite in großen Flocken, und das Abteil war in ein seltsam unwirkliches Zwielicht getaucht. Wir fuhren schon durchs Gebirge. Es war fast neun Uhr. Ich dehnte mich und ging mich waschen und rasieren. Als ich zurückkam, stand Pat im Abteil. Sie sah frisch aus.

„Hast du gut geschlafen?" fragte ich.

Sie nickte.

„Und wie war die Dame in deinem Abteil?"

„Jung und hübsch. Sie heißt Helga Guttmann und fährt ins selbe Sanatorium wie ich."

„Tatsächlich?"

„Ja, Robby. Aber du hast schlecht geschlafen, das sieht man. Du mußt ein ordentliches Frühstück haben."

„Kaffee," sagte ich. „Kaffee mit etwas Kirsch."

Wir gingen zum Speisewagen. Ich war plötzlich guter Stimmung. Es schien alles nicht mehr so schlimm wie am Abend vorher.

Helga Guttmann saß schon da. Sie war ein schlankes, lebhaftes Mädchen von südlichem Typ. „Merkwürdig," sagte ich, „daß sich das so getroffen hat mit demselben Sanatorium."

„Gar nicht so merkwürdig," erwiderte sie.

Ich sah sie an. Sie lachte. „Um diese Zeit sammeln sich doch die Zugvögel alle wieder. Drüben —" sie zeigte in die Ecke des Speisewagens, „der ganze Tisch dort fährt auch hin.“

„Woher wissen Sie das?“ fragte ich.

„Ich kenne sie alle vom vorigen Jahr. Da oben kennt doch jeder den andern.“

Der Kellner kam und brachte den Kaffee. „Bringen Sie mir noch einen großen Kirsch dazu,“ sagte ich. Ich mußte etwas trinken. Es war auf einmal alles so einfach. Da saßen Leute und fuhren zum Sanatorium, zum zweitenmal sogar, und es schien ihnen nicht viel mehr als eine Spazierfahrt zu sein. Es war dumm, soviel Angst zu haben. Pat würde zurückkommen, wie alle diese Leute.

Wir kamen spät nachmittags an. Es war ganz klar geworden, die Sonne schien golden auf die Schneefelder, und der Himmel war so blau, wie wir ihn seit Wochen nicht mehr gesehen hatten. Am Bahnhof warteten eine Menge Leute. Sie grüßten und winkten, und aus dem Zuge winkten die Ankommenden zurück. Helga Guttmann wurde von einer lachenden, blonden Frau und zwei Männern in hellen Knickerbockers in Empfang genommen. Sie war ganz aufgeregt und wirbelig, so als wäre sie nach langer Abwesenheit nach Hause gekommen. „Auf Wiedersehen, nachher, oben!“ rief sie uns zu und bestieg mit ihren Freunden einen Schlitten.

Die Leute zerstreuten sich rasch, und wir standen ein paar Minuten später allein auf dem Bahnsteig. Ein Gepäckträger trat zu uns heran. „Welches Hotel?“ fragte er.

„Sanatorium Waldfrieden,“ erwiderte ich.

Er nickte und winkte einem Kutscher. Die beiden verstauten die Koffer in einem hellblauen Schlitten, der mit zwei Schimmeln bespannt war.

Wir stiegen ein. „Wollen Sie zur Drahtseilbahn oder mit dem Schlitten rauf?“ fragte der Kutscher.

„Wie weit ist es mit dem Schlitten?"
„Eine halbe Stunde."
„Dann mit dem Schlitten."
Wir meldeten uns im Büro. Ein Hausdiener holte unser Gepäck herein, und eine ältere Dame erklärte uns, daß Pat Zimmer 79 habe. Ich fragte, ob ich für ein paar Tage ebenfalls ein Zimmer haben könne.
Sie schüttelte den Kopf. „Nicht im Sanatorium. Wohl aber in der Dependance."
„Wo ist die Dependance?"
„Gleich nebenan."
„Gut," sagte ich, „dann geben Sie mir dort ein Zimmer und lassen Sie mein Gepäck hinüber bringen."
Wir fuhren mit dem lautlosen Lift abwärts und setzten uns an einen der kleinen Tische in der Halle. Nach einer Weile kam Helga Guttmann mit ihren Freunden. Sie setzten sich zu uns. Helga Guttmann war aufgeregt und von einer etwas überhitzten Lustigkeit, aber ich war froh, daß sie da war und daß Pat schon ein paar Bekannte hatte. Es war immer schwer, über den ersten Tag hinwegzukommen.

Eine Woche später fuhr ich zurück.

XIII

Anfang November verkauften wir den Citroën. Das Geld reichte, um die Werkstatt eine Weile weiterzuführen, aber unsere Lage wurde von Woche zu Woche schlechter. Die Leute stellten im Winter ihre Wagen ein, um Benzin und Steuern zu sparen, und Reparaturen kamen immer weniger vor. Wir halfen uns zwar mit dem Taxi durch, aber der Verdienst war für drei zu knapp, und ich war deshalb ganz froh, als der Wirt vom International mir vorschlug, vom Dezember ab wieder jeden Abend bei ihm Klavier zu spielen. Auf diese Weise konnte ich Lenz und Köster das Taxi lassen, und mir war es auch sonst ganz recht, — ich wußte ohnehin oft nicht, wie ich die Abende herumbringen sollte.

Pat schrieb mir regelmäßig. Ich wartete auf ihre Briefe, aber ich konnte mir nicht vorstellen, wie sie lebte, und manchmal, in den dunklen, schmutzigen Dezemberwochen, wo es nicht einmal mittags richtig hell wurde, glaubte ich, sie sei mir längst entglitten, und alles sei vorbei. Es schien mir endlos, seit sie fort war, und ich konnte mir nicht vorstellen, daß sie wiederkommen würde.

An einem kalten Abend im Januar saß ich im International und spielte mit dem Wirt „Siebzehn und vier." Die Stadt war unruhig. Draußen marschierten alle Augenblicke Kolonnen vorüber; manche mit schmetternden Militärmärschen, andere mit der Internationale,[1] und dann wieder schweigende, lange Züge, denen Schilder vorangetragen wurden mit Forderungen nach Arbeit und Brot. Man hörte die vielen Schritte auf dem Pflaster wie das Gehen einer riesigen, unerbittlichen Uhr. Nachmittags war es zwischen Streikenden und der Polizei bereits zu einem Zusammenstoß gekommen, bei dem zwölf Leute verletzt worden waren, und die ganze Polizei stand seit Stunden unter Alarm. Die Pfiffe der Überfallautos gellten durch die Straßen.

„Es gibt keine Ruhe," sagte der Wirt und zeigte eine

[1] die Internationale: *the International* (Communist marching song).

Sechzehn vor. „Seit dem Krieg hats keine Ruhe mehr gegeben. Und damals haben wir doch alle nichts anderes gewollt als Ruhe. Verrückte Welt!"

Ich zeigte Siebzehn vor und strich den Pott ein. „Die Welt ist nicht verrückt," sagte ich. „Nur die Menschen."

Der Wirt gähnte und sah nach der Uhr. „Fast elf. Ich glaube, wir machen Schluß. Kommt doch keiner mehr."

„Da kommt noch einer," sagte Alois.

Die Tür ging. Es war Köster. „Gibts was Neues draußen, Otto?"

Er nickte. „Eine Saalschlacht. Zwei Schwerverletzte, ein paar Dutzend Leichtverletzte und ungefähr hundert Verhaftungen. Zwei Schießereien im Norden. Ein Schupo tot. Weiß nicht, wieviel Verletzte. Na, und jetzt gehts ja wohl erst noch los, wenn die großen Versammlungen zu Ende sind. Bist du hier fertig?"

„Ja," sagte ich. „Wir wollten gerade Schluß machen."

„Dann komm mit."

Ich sah zum Wirt hinüber. Er nickte. „Also Servus," sagte ich.

„Servus," erwiderte der Wirt träge. „Nehmt euch in acht."

Wir gingen hinaus. „Gottfried ist nicht da," sagte Köster. „Er steckt in einer dieser Versammlungen. Ich habe gehört, daß sie gesprengt werden sollen, und glaube, daß noch allerhand passieren wird. Es wäre ganz gut, wenn wir ihn vor Schluß erwischen könnten. Er ist ja nicht gerade der Ruhigste."

„Weißt du denn, wo er ist?" fragte ich.

„Nicht genau. Aber ziemlich sicher in einer der drei Hauptversammlungen. Wir müssen sie abfahren.[2] Gott-

[2] Wir müssen sie abfahren: *We must make the rounds.*

fried mit seinem leuchtenden Haarschopf ist ja leicht zu erkennen."

„Gut." Wir stiegen ein und jagten mit Karl los zum ersten Versammlungslokal.

Wir kamen auf den zweiten Hof, an dem das Versammlungslokal lag. Alle Fenster waren erleuchtet. Plötzlich hörten wir Lärm von drinnen. Im selben Moment stürzte aus einem dunklen Seiteneingang eine Anzahl junger Leute in Windjacken, wie auf ein verabredetes Zeichen über den Hof, dicht unter den Fenstern entlang, auf die Tür des Lokals los. Der vorderste riß sie auf, und sie stürmten hinein.

„Ein Stoßtrupp," sagte Köster. „Komm hier an die Wand hinter die Bierfässer."

Ein Brüllen und Toben begann im Saal. In der nächsten Sekunde splitterte ein Fenster und jemand flog heraus. Gleich darauf brach die Tür auf, ein Haufen Menschen wälzte sich heraus, die ersten stürzten, die andern fielen darüber hinweg.

Ein neuer Knäuel stürzte heran, und plötzlich sahen wir, drei Meter vor uns, den gelben Schopf Gottfrieds in den Händen eines tobenden Schnauzbarts.

Köster duckte sich und verschwand in dem Haufen. Ein paar Sekunden später ließ der Schnauzbart Gottfried los, warf mit einer Miene äußersten Erstaunens die Arme hoch und fiel wie ein entwurzelter Baum in die Menge zurück. Gleich darauf entdeckte ich Köster, der Lenz am Kragen hinter sich herschleppte.

Lenz wehrte sich. „Laß mich nur noch einen Augenblick hin,[3] Otto," keuchte er.

„Unsinn," rief Köster, „die Schupo kommt sofort! Los, da hinten rauf." [4]

[3] Laß mich . . . hin: *Let me go.*
[4] Los, da hinten rauf: *Quick, out at the back there.*

Wir gingen die Straße entlang. Ein paar Leute kamen uns auf der anderen Seite entgegen. Es waren vier junge Burschen. Einer trug hellgelbe, neue Ledergamaschen, die andern eine Art von Militärstiefeln. Sie blieben stehen und sahen zu uns herüber. „Da ist er!“ rief plötzlich der mit den Gamaschen und lief schräg über die Straße auf uns zu. Im nächsten Augenblick krachten zwei Schüsse, der Bursche sprang weg, und alle vier rissen aus, so schnell sie konnten. Ich sah, wie Köster die Arme ausstreckte, einen gepreßten, wilden Laut ausstieß und Gottfried Lenz aufzufangen versuchte, der schwer aufs Pflaster schlug.

Eine Sekunde dachte ich, er sei nur gefallen; dann sah ich das Blut. Köster riß ihm die Jacke auf, zerrte das Hemd weg, — das Blut quoll dick hervor. Ich preßte mein Taschentuch dagegen. „Bleib hier, ich hole den Wagen,“ rief Köster und rannte los.

„Gottfried,“ sagte ich, „hörst du mich?“

Sein Gesicht wurde grau. Die Augen waren halbgeschlossen. Die Lider bewegten sich nicht. Ich hielt mit der einen Hand seinen Kopf, mit der anderen drückte ich das Taschentuch auf die blutende Stelle. Ich kniete neben ihm, ich lauschte auf sein Röcheln, seinen Atem, aber ich hörte nichts, lautlos war alles, die endlose Straße, die endlosen Häuser, die endlose Nacht, — ich hörte nur leise klatschend das Blut auf das Pflaster fallen und wußte, daß das schon einmal so gewesen sein mußte und daß es nicht wahr sein konnte.

Köster raste heran. Er riß die Lehne des linken Sitzes nach hinten herum. Wir hoben Gottfried vorsichtig hoch und legten ihn auf die beiden Sitze. Ich sprang in den Wagen und Köster schoß los. Wir fuhren zur nächsten Unfallstelle. Köster bremste vorsichtig. „Sieh nach, ob ein Arzt da ist. Sonst müssen wir weiter.“

Ich lief hinein. Ein Sanitäter kam mir entgegen. „Ist ein Arzt da?"

„Ja. Habt ihr jemand?"

„Ja. Kommen Sie mit ran! Eine Tragbahre."

Wir hoben Gottfried auf die Bahre und trugen ihn hinein. Der Arzt stand schon in Hemdsärmeln bereit. „Hierher!" Er zeigte auf einen flachen Tisch. Wir hoben die Bahre hinauf. Der Arzt zog eine Lampe herunter, dicht über den Körper. „Was ist es?"

„Revolverschuß."

Er nahm einen Bausch Watte, wischte das Blut fort, griff nach Gottfrieds Puls, horchte ihn ab und richtete sich auf. „Nichts mehr zu machen."

Köster starrte ihn an. „Der Schuß sitzt doch ganz seitlich. Es kann doch nicht schlimm sein!"

„Es sind zwei Schüsse," sagte der Arzt.

Er wischte wieder das Blut weg. Wir beugten uns vor. Da sahen wir, daß schräg unter der stark blutenden Wunde eine zweite war, — ein kleines dunkles Loch in der Herzgegend.

„Er muß fast augenblicklich tot gewesen sein," sagte der Arzt.

Gottfrieds Gesicht war jetzt gelb und eingefallen. Der Mund war etwas schief gezogen, die Augen waren halb geschlossen, das eine etwas mehr als das andere. Er sah uns an. Er sah uns immerfort an.

„Wie ist es denn gekommen?" fragte der Arzt.

Niemand antwortete. Gottfried sah uns an. Er sah uns unverwandt an.

„Er kann hierbleiben," sagte der Arzt.

Köster rührte sich. „Nein," erwiderte er. „Wir nehmen ihn mit!"

„Das geht nicht," sagte der Arzt. „Wir müssen die

Polizei anrufen. Die Kriminalpolizei auch. Es muß doch sofort alles getan werden, um den Täter zu finden."

„Den Täter?" Köster blickte den Arzt an, als verstände er ihn nicht. „Gut," sagte er dann, „ich werde hinfahren und die Polizei holen."

„Sie können telefonieren. Dann sind sie schneller hier."

Köster schüttelte langsam den Kopf. „Nein. Ich werde sie holen."

Er ging hinaus, und ich hörte Karl anspringen. Der Arzt schob mir einen Stuhl hin. „Wollen Sie sich nicht so lange setzen?"

„Danke," sagte ich und blieb stehen. Das helle Licht lag immer noch auf Gottfrieds blutiger Brust. Der Arzt schob die Lampe etwas höher. „Wie ist es denn gekommen?" fragte er nochmals.

„Ich weiß nicht. Es muß eine Verwechslung mit jemand gewesen sein."

„War er im Krieg?" fragte der Arzt.

Ich nickte.

„Man sieht es an den Narben," sagte er. „Und an dem zerschossenen Arm. Er ist mehreremale verwundet worden."

„Ja. Viermal."

„Eine Gemeinheit," sagte der Sanitäter. „Sind doch alles Lausebengels, die damals noch in den Windeln lagen."

Ich erwiderte nichts. Gottfried sah mich an. Immerfort an.

Wir kauften einen Sarg und ein Grab auf dem Gemeindefriedhof. Gottfried hatte oft gesagt, wenn wir früher darüber gesprochen hatten, Krematorien seien nichts für Soldaten. Er wolle in der Erde liegen, in der er solange gelebt habe.

Es war ein klarer, sonniger Tag, als er beerdigt wurde. Wir hatten ihm seine alte Uniform aus dem Felde. Wir machten den Sarg selbst zu und trugen ihn die Treppen herunter. Es gingen nicht viele Leute mit.

Gottfried Lenz war tot. Er war ausgelöscht. Wir standen an seinem Grabe, wir wußten, daß sein Körper, sein Haar, seine Augen noch da waren, verwandelt schon, aber doch noch da, und daß er trotzdem schon fort war und nie wieder kam. Es war nicht zu begreifen. Unsere Haut war warm, unsere Gedanken arbeiteten, unser Herz pumpte Blut durch die Adern, wir waren da wie vorher, wie gestern noch, uns fehlte nicht plötzlich ein Arm, wir waren nicht blind oder stumm geworden, alles war wie immer, gleich würden wir fortgehen und Gottfried Lenz würde zurückbleiben und niemals nachkommen. Es war nicht zu begreifen.

XIV

Bei Frau Zalewski war noch Licht. Sie kam aus ihrem Salon, als ich die Tür aufschloß. „Es ist ein Telegramm für Sie da," sagte sie.

„Ein Telegramm?" fragte ich erstaunt. Dann begriff ich und lief in mein Zimmer. Das Telegramm lag mitten auf dem Tisch, kalkig im grellen Licht. Ich riß die Verschlußmarke auf, die Brust preßte sich mir zu, die Buchstaben verschwammen, wichen aus, kamen wieder, ich atmete auf, alles stand still, und ich gab das Telegramm Köster. „Gottseidank. Ich dachte schon —"

Es waren nur drei Worte. „Robby, komm bald —"

Ich nahm das Blatt wieder. Die Erleichterung schwand. Die Angst kam zurück. „Was mag da los sein, Otto? Herrgott, weshalb telegraphiert sie nicht mehr? Es muß doch was los sein!"

Köster legte die Depesche auf den Tisch. „Wann hast du zum letztenmal von ihr gehört?"

„Vor einer Woche. Nein, länger."

„Melde ein Gespräch an. Wenn etwas ist, fahren wir gleich ab. Mit dem Wagen. Hast du ein Kursbuch?"

Ich meldete die Verbindung mit dem Sanatorium an und holte das Kursbuch aus Frau Zalewskis Salon. Köster schlug es auf, während wir warteten. „Der nächste gute Anschlußzug fährt erst morgen mittag," sagte er. „Es ist besser, wir nehmen den Wagen und fahren so weit heran, wie es geht. Dann können wir immer noch den nächsten Anschlußzug nehmen. Ein paar Stunden sparen wir bestimmt. Was meinst du?"

„Ja, auf jeden Fall." Ich konnte mir nicht vorstellen, wie ich die untätigen Stunden in der Eisenbahn ertragen sollte.

Das Telefon klingelte. Köster ging mit dem Kursbuch in mein Zimmer. Das Sanatorium meldete sich. Ich fragte nach Pat. Eine Minute später sagte mir die Stationsschwester, es wäre besser, wenn Pat nicht telefoniere.

„Was hat sie?" schrie ich.

„Eine kleine Blutung vor einigen Tagen. Und heute etwas Fieber."

„Sagen Sie ihr, daß ich käme," rief ich. „Mit Köster und Karl. Wir fahren jetzt ab. Haben Sie verstanden?"

„Mit Köster und Karl," wiederholte die Stimme.

„Ja. Aber sagen Sie es ihr sofort. Wir fahren jetzt ab."

„Ich werde es ihr gleich bestellen."

Ich ging zurück in mein Zimmer. Meine Beine waren

merkwürdig leicht. Köster saß am Tisch und schrieb die Züge aus.

„Pack deinen Koffer," sagte er. „Ich fahre nach Hause und hole meinen auch. In einer halben Stunde bin ich zurück."

Eine halbe Stunde später hatten wir die Stadt hinter uns.

„Du solltest etwas schlafen," sagte Köster.

Ich schüttelte den Kopf. „Kann ich nicht, Otto."

„Dann leg dich wenigstens hin, damit du morgen früh frisch bist. Wir müssen noch durch ganz Deutschland."

„Ich ruhe mich auch so aus."

Ich blieb neben Köster sitzen. Der Mond glitt langsam über den Himmel. Die Felder glänzten wie Perlmutter. Ab und zu flogen Dörfer vorüber, manchmal eine Stadt, verschlafen, leer.

Gegen Morgen wurde es kalt. Wir wechselten das Steuer, und ich fuhr bis zehn Uhr. Dann frühstückten wir rasch in einem Wirtshaus am Wege, und ich fuhr weiter bis zwölf. Von da an blieb Köster am Steuer. Es ging schneller, wenn er allein fuhr.

Nachmittags, als es zu dämmern anfing, kamen wir an das Gebirge. Wir hatten Schneeketten und eine Schaufel bei uns und erkundigten uns, wie weit wir kommen könnten.

„Sie können es mit Ketten versuchen," sagte der Sekretär des Autoklubs. „Es ist dieses Jahr sehr wenig Schnee. Nur wie es die letzten Kilometer ist, weiß ich nicht genau. Kann sein, daß Sie da stecken bleiben."

Wir hatten einen großen Vorsprung vor dem Zug und beschlossen, zu versuchen, ganz herauf zu kommen. Es war kalt, und Nebel war nicht zu befürchten. Der Wagen ging die Serpentinen wie eine Uhr hinauf. Auf halber Höhe montierten wir die Schneeketten. Die Straße war ausgeschaufelt, aber an vielen Stellen vereist, und der Wagen tanzte und rutschte. Manchmal mußten wir heraus und ihn schieben. Zweimal versanken wir und mußten ihn ausschaufeln. Im letzten Dorf ließen wir uns einen Eimer Sand geben, weil wir jetzt sehr hoch waren und Sorge hatten, beim Abwärtsfahren vereiste Kurven vor uns zu haben. Es war ganz dunkel geworden, die Bergwände ragten steil und kahl über uns in den Abend, der Paß verengte sich, der Motor brüllte im ersten Gang, und Kurve um Kurve ging es abwärts. Plötzlich glitt das Licht der Scheinwerfer von den Hängen ab, es stürzte ins Leere, die Berge öffneten sich, und wir sahen unten das Lichtnetz des Dorfes vor uns liegen.

Der Wagen donnerte zwischen den bunten Läden der Hauptstraße hindurch. Fußgänger sprangen beiseite, erschreckt durch den ungewohnten Anblick, Pferde scheuten, ein Schlitten rutschte ab, der Wagen jagte die Kehren zum Sanatorium hinauf und hielt vor dem Portal. Ich sprang hinaus, ich sah wie durch einen Schleier neugierige Gesichter, Leute, das Bureau, den Aufzug, dann lief ich durch den weißen Korridor, riß die Tür auf und erblickte Pat, wie ich sie hundertmal in Traum und Sehnsucht gesehen hatte, sie kam mir entgegen, und ich hielt sie in den Armen wie das Leben und mehr als das Leben.

„Gottseidank," sagte ich, als ich mich wieder zurechtfand, „ich glaubte, du lägest im Bett."

Sie schüttelte den Kopf an meiner Schulter. Dann richtete sie sich auf, nahm mein Gesicht in ihre Hände und sah mich an. „Daß du da bist," murmelte sie. „Daß du gekommen bist!" Sie küßte mich, vorsichtig, ernst und behutsam, wie etwas, das man nicht zerbrechen will. Als ich ihre Lippen fühlte, begann ich zu zittern.

„Wir sind schnell gefahren,“ sagte ich.

„Bleibst du jetzt hier?“ fragte sie.

Ich nickte.

„Sag es mir gleich. Sag mir, ob du wieder fortgehst, damit ich es gleich weiß.“

Ich wollte ihr antworten, daß ich es noch nicht wüßte, und daß ich wahrscheinlich in ein paar Tagen abfahren müßte, weil ich kein Geld hätte, um hierzubleiben. Aber ich konnte es nicht. Ich konnte es nicht, während sie mich so ansah. „Ja,“ sagte ich, „ich bleibe hier. So lange, bis wir zusammen abreisen.“ Ihr Gesicht bewegte sich nicht. Aber es wurde plötzlich hell, wie von innen her erleuchtet. „Ach,“ murmelte sie, „ich hätte es auch nicht ertragen.“

Ich ging zu Köster hinunter. Die Koffer waren schon ausgeladen. Man hatte uns zwei Zimmer nebeneinander in der Dependance gegeben. „Sieh dir das an,“ sagte ich und zeigte ihm die Fieberkurven. „Wie das herauf und herunter geht.“

Wir gingen über den knirschenden Schnee die Treppen hinauf. „Frag morgen den Arzt,“ sagte Köster. „Aus den Fieberkurven allein kann man nichts sehen.“

„Ich sehe genug,“ erwiderte ich, zerknüllte sie und steckte sie wieder in die Tasche.

Wir wuschen uns. Dann kam Köster zu mir ins Zimmer. Er sah aus, als wäre er gerade aufgestanden. „Du mußt dich anziehen, Robby,“ sagte er.

„Ja.“ Ich wachte aus meinem Brüten auf und packte den Koffer aus.

Wir gingen zum Sanatorium zurück. Karl stand noch draußen. Köster hatte ihm eine Decke über den Kühler gehängt.

„Wann fahren wir zurück, Otto?“ fragte ich.

Er blieb stehen. „Ich denke, ich fahre morgen abend oder übermorgen früh. Du bleibst doch hier —"

„Wie soll ich das denn machen," erwiderte ich verzweifelt. „Mein Geld reicht höchstens für zehn Tage. Und für Pat ist das Sanatorium auch nur bis zum fünfzehnten bezahlt. Ich muß zurück und verdienen. Hier brauchen sie wahrscheinlich keinen so schlechten Klavierspieler."

Köster beugte sich über Karls Kühler und hob die Decke hoch. „Ich besorge dir Geld," sagte er und richtete sich auf. „Deshalb kannst du ruhig hier bleiben."

„Erbst du?" fragte ich mit trübem Spott.

„So was Ähnliches. Verlaß dich auf mich. Du kannst doch jetzt nicht wieder wegfahren."

Köster legte die Decke wieder über den Kühler Karls. Dann gingen wir in die Halle und setzten uns an den Kamin.

„Wie spät ist es eigentlich?" fragte ich.

Köster sah nach der Uhr. „Halb sieben."

„Merkwürdig," sagte ich. „Dachte, es wäre viel später."

Pat kam die Treppen herunter. Sie trug ihre Pelzjacke und ging rasch durch die Halle, um Köster zu begrüßen. Ich bemerkte jetzt erst, wie braun sie war. Aber ihr Gesicht war schmaler geworden, und die Augen glänzten zu sehr.

„Hast du Fieber?" fragte ich.

„Etwas," erwiderte sie rasch und ausweichend. „Abends hat hier jeder Fieber. Es ist nur, weil ihr gekommen seid. Seid ihr müde?"

„Wovon?"

„Dann gehen wir in die Bar, ja? Es ist doch das erstemal, daß ich hier oben Besuch habe."

„Gibts denn hier eine Bar?"

„Ja, eine kleine. Oder wenigstens eine Ecke, die so aussieht. Das gehört zur Behandlung. Alles vermeiden, was nach Krankenhaus aussieht. Man bekommt schon nichts, wenn man nicht darf.“

Die Bar war voll. Pat begrüßte ein paar Leute. Wir setzten uns an einen Tisch, der gerade frei wurde.

„Was willst du denn haben?“ fragte ich.

„Einen Cocktail von Rum. So wie wir ihn immer in der Bar getrunken haben. Weißt du das Rezept?“

„Das ist einfach,“ sagte ich zu dem Mädchen, das bediente. „Halb Portwein, halb Jamaika-Rum.“

„Zwei,“ rief Pat. „Und einen Spezial.“

Das Mädchen brachte zwei Porto-Roncos und ein hellrotes Getränk. „Das ist für mich,“ sagte Pat. Sie schob uns den Rum zu. „Salute!“

Sie stellte ihr Glas hin, ohne getrunken zu haben.

„Was hast du denn da bestellt?“ fragte ich und probierte die verdächtig hellrote Sache. Sie schmeckte nach Himbeersaft und Zitrone. Es war kein Tropfen Alkohol drin. „Ganz gut,“ sagte ich.

Wir gingen in den Speisesaal. Pat war wunderschön. Ihr Gesicht leuchtete. Wir setzten uns an einen der kleinen, weißgedeckten Tische neben den Fenstern. Es war warm, und unten lag das Dorf mit seinen beglänzten Straßen im Schnee.

„Wo ist denn Helga Guttmann?“ fragte ich.

„Abgereist,“ sagte Pat nach einer Pause.

„Abgereist? So früh?“

„Ja,“ sagte Pat, und ich begriff, was sie meinte.

Das Mädchen brachte den dunkelroten Wein. Köster schenkte die Gläser voll. Die Tische waren jetzt alle besetzt. Überall saßen Menschen und plauderten. Ich fühlte Pats Hand auf meiner. „Liebling,“ sagte sie sehr leise und zärtlich. „Ich konnte es nicht mehr aushalten.“

XV

Ich kam aus dem Zimmer des Chefarztes, Köster wartete auf mich in der Halle. Er stand auf, als er mich sah. Wir gingen nach draußen und setzten uns auf eine Bank vor dem Sanatorium. „Es ist schlimm, Otto," sagte ich. „Schlimmer, als ich gefürchtet habe."

„Hast du mit dem Chefarzt selbst gesprochen?" fragte Köster.

„Ja. Er hat mir alles erklärt, mit vielen Einschränkungen. Aber das Ergebnis ist, daß es schlechter geworden ist. Er behauptet zwar, es sei besser geworden."

„Das verstehe ich nicht."

„Er behauptet, wenn sie unten geblieben wäre, würde längst alle Hoffnung verloren sein. Hier ist es langsamer gegangen. Das nennt er dann besser werden."

Köster zog mit den Absätzen seiner Schuhe Striche in den harten Schnee. Dann hob er den Kopf. „Er hat also Hoffnung?"

„Ein Arzt hat immer Hoffnung, das gehört zu seinem Beruf. Aber ich habe verdammt wenig mehr. Jetzt sind beide Lungen krank. Es ist verflucht, Otto."

„Was hat er sonst noch gesagt?" fragte Köster.

„Er hat mir erklärt, woher es wahrscheinlich käme. Er hätte schon viele Patienten im gleichen Alter gehabt. Es seien Folgen des Krieges. Unterernährung in den Entwicklungsjahren. Aber was geht mich das alles an?[1] Sie soll gesund werden." Ich sah ihn an. „Natürlich hat er mir gesagt, daß er oft genug Wunder erlebt hätte. Gerade bei dieser Krankheit käme es vor, daß sie plötzlich stehen bliebe, verkapselte und ausheilte, sogar in verzweifelten Fällen. Das hat Jaffé auch gesagt. Aber ich glaube nicht an Wunder."

[1] Aber was geht mich das alles an: *But what does all that concern me?*

Köster antwortete nicht. Wir blieben schweigend nebeneinander sitzen. Was sollten wir auch sagen? Wir hatten beide zuviel mitgemacht, als daß wir mit Trost etwas hätten anfangen können.

„Sie darf nichts merken, Robby," sagte Köster schließlich.

„Natürlich nicht," erwiderte ich.

Köster kam von der Wetterdienststelle zurück. „Ich muß fahren, Robby," sagte er. „Das Barometer ist gefallen, und wahrscheinlich gibt es diese Nacht Schnee. Dann komme ich morgen nicht mehr durch. Heute abend gehts grade noch." [2]

„Gut. Essen wir noch zusammen?"

„Ja. Ich packe jetzt rasch."

„Ich komme mit," sagte ich.

Wir packten Kösters Sachen zusammen und brachten sie zur Garage hinunter. Dann gingen wir zurück, um Pat zu holen.

„Wenn irgendwas ist, ruf mich an, Robby," sagte Otto.

Ich nickte.

„Das Geld hast du in wenigen Tagen hier. Genug für einige Zeit. Tu alles, was nötig ist."

Wir gingen in die Halle, und ich holte Pat herunter. Dann aßen wir rasch, denn es bezog sich immer mehr. Köster fuhr Karl aus der Garage zum Portal vor. „Machs gut,[3] Robby," sagte er.

„Du auch, Otto."

„Auf Wiedersehen, Pat." Er gab ihr die Hand und sah sie an.

„Im Frühjahr komme ich Sie holen."

[2] Heute abend gehts grade noch: *Tonight I'll just make it.*
[3] Machs gut: *Good luck.*

„Leben Sie wohl, Köster." Pat hielt seine Hand fest. „Ich freue mich so, Sie noch gesehen zu haben. Grüßen Sie auch Gottfried Lenz von mir."

„Ja," sagte Köster.

Sie hielt immer noch seine Hand. Ihre Lippen zitterten. Und plötzlich machte sie einen Schritt vor und küßte ihn. „Leben Sie wohl," murmelte sie mit erstickter Stimme.

Kösters Gesicht war auf einmal von einer hellroten Flamme durchflogen. Er wollte noch etwas sagen, aber er wandte sich ab, stieg in den Wagen, fuhr in einem Sprung an und jagte die Serpentinen herunter, ohne umzusehen. Wir sahen ihm nach. Der Wagen donnerte die Hauptstraße entlang und zog die Kehren hinauf, wie ein einsamer Leuchtkäfer, das fahle Feld der Scheinwerfer auf dem grauen Schnee vor sich. Auf der Höhe blieb er stehen, und Köster winkte. Er stand dunkel vor dem Licht. Dann verschwand er, und wir hörten noch lange das immer schwächer werdende Summen der Maschine.

Die nächsten Tage schneite es ununterbrochen. Pat hatte Fieber und mußte zu Bett bleiben. Viele im Hause hatten Fieber.

„Es ist das Wetter," sagte Antonio. „Zu warm. Richtiges Fieberwetter."

„Liebling, geh ein bißchen raus," sagte Pat. „Kannst du Skifahren?"

„Nein. Wie sollte ich das können? Ich war ja nie im Gebirge."

„Antonio wird es dir beibringen. Es macht ihm Spaß. Er mag dich gern." [4]

Ich stand auf. „Also gut, ich gehe ein bißchen mit Antonio raus. Mittags bin ich dann wieder hier. Hof-

[4] Er mag dich gern: *He likes you.*

fentlich breche ich mir nicht alle Knochen mit diesen Skidingern.“

„Du wirst es rasch lernen, Liebling.“ Ihr Gesicht verlor die ängstliche Spannung. „Du wirst sehr schnell wunderbar laufen.“

„Und du willst mich sehr schnell wunderbar hier raus haben,“ sagte ich und küßte sie. Ihre Hände waren feucht und heiß, und ihre Lippen trocken und aufgesprungen.

Antonio wohnte im zweiten Stock. Er lieh mir ein Paar Schuhe und Skier. Sie paßten, denn wir waren gleich groß. Wir gingen zur Übungswiese, die ein Stück hinter dem Dorf lag. Antonio blickte mich unterwegs forschend an. „Fieber macht unruhig,“ sagte er. „Sonderbare Sachen sind hier an solchen Tagen manchmal schon passiert.“ Er legte die Skier vor sich hin und machte sie fest. „Das Schlimmste ist das Warten und das Nichtstunkönnen. Das macht verrückt und kaputt.“

„Die Gesunden auch,“ erwiderte ich. „Dabei stehen zu müssen und nichts tun zu können.“

Er zeigte mir, wie man die Skier anmachte und wie man das Gleichgewicht hielt. Es war nicht schwer. Ich fiel ziemlich oft, aber dann gewöhnte ich mich allmählich, und es klappte schon ein wenig. Nach einer Stunde hörten wir auf. „Genug,“ meinte Antonio. „Sie werden heute abend Ihre Muskeln schon spüren.“

Ich schnallte die Skier ab und fühlte, wie kräftig mein Blut strömte. „War gut, daß wir draußen waren, Antonio,“ sagte ich.

Er nickte. „Das können wir jeden Vormittag machen. Man kommt auf andere Gedanken dabei.“

„Wollen wir irgendwo was trinken?“ fragte ich.

„Können wir. Einen Dubonnet bei Forster.“

Wir tranken den Dubonnet und gingen zum Sanatorium

hinauf. Im Büro sagte mir die Sekretärin, der Briefträger wäre für mich dagewesen; er hätte hinterlassen, ich solle zur Post kommen. Es sei Geld für mich da. Ich sah nach der Uhr. Es war noch Zeit, und ich ging zurück. Auf der Post zahlte man mir zweitausend Mark aus. Ein Brief von Köster war dabei. Ich solle mir keine Sorgen machen; es sei noch mehr da. Ich brauche nur zu schreiben.

Ich starrte auf die Scheine. Wo hatte er das nur her? Und so schnell? Und plötzlich wußte ich es. Verflucht! Köster hatte Karl verkauft! Daher auf einmal das Geld! Karl, von dem er gesagt hatte, er verlöre lieber eine Hand als den Wagen. Karl war nicht mehr da!

Ich steckte den Brief Kösters ein. Ratlos stand ich noch immer vor dem Postschalter. Ich hätte das Geld am liebsten sofort zurückgeschickt, aber es ging nicht, wir brauchten es. Ich glättete die Scheine und steckte sie ein. Dann ging ich hinaus. Verflucht, von jetzt an würde ich um jedes Auto einen Bogen machen müssen. Autos waren Freunde, aber Karl war uns noch viel mehr gewesen. Ein Kamerad! Karl, das Chausseegespenst. Wir hatten zusammengehört. Karl und Köster, Karl und Lenz, Karl und Pat. Ich stampfte zornig und hilflos den Schnee von meinen Füßen. Lenz war tot. Karl war fort. Und Pat? —

Das Wetter wurde föhnig.[5] Eine klatschende nasse Wärme jagte durch das Tal. Der Schnee wurde weich. Es tropfte von den Dächern. Die Fieberkurven stiegen. Pat mußte zu Bett bleiben. Der Arzt kam alle paar Stunden. Sein Gesicht wurde immer besorgter.

Pat wurde immer schwächer. Sie konnte nicht mehr aufstehen. In den Nächten hatte sie oft Erstickungsan-

[5] föhnig: *stormy*. The "Föhn" is a moist south wind in Switzerland.

fälle. Dann wurde sie grau vor Todesangst. Ich hielt ihre nassen, kraftlosen Hände. „Nur diese Stunde überstehen!" keuchte sie, „nur diese Stunde, Robby. Da sterben sie —"

Sie hatte Angst vor der letzten Stunde zwischen Nacht und Morgen. Sie glaubte, daß mit dem Ende der Nacht der geheime Strom des Lebens schwächer würde und fast erlosch, — und nur vor dieser Stunde hatte sie Furcht und wollte nicht allein sein. Sonst war sie so tapfer, daß ich oft die Zähne zusammenbeißen mußte.

Antonio brachte mir seinen Radioapparat. Ich schloß ihn an die Lichtleitung und die Heizung an und probierte ihn abends bei Pat aus. Er quarrte und quakte, dann löste sich plötzlich aus dem Schnarren eine zarte, klare Musik.

„Was ist das, Liebling?" fragte Pat.

Antonio hatte mir eine Radiozeitschrift mitgegeben. Ich schlug nach. „Rom, glaube ich."

Da kam auch schon die tiefe, metallische Stimme der Ansagerin. „Radio Roma — Napoli — Firenze —"

Ich drehte weiter. Ein Klaviersolo. „Da brauche ich gar nicht nachzuschlagen," sagte ich. „Das ist die Waldsteinsonate von Beethoven. Die habe ich auch mal spielen können in den Zeiten, als ich noch glaubte, irgendwann mal Professor oder Komponist zu werden. Jetzt kann ich sie längst nicht mehr. Wollen lieber weiter drehen. Sind keine schönen Erinnerungen."

Ein warmer Alt, sehr leise und einschmeichelnd. „Parlez moi d'amour —"

„Paris, Pat."

Ich drehte weiter. Reklamenachrichten. Ein Quartett. „Was ist das?" fragte Pat.

„Prag. Streichquartett, Opus 59 zwei, Beethoven," las ich vor.

Ich wartete, bis der Satz zu Ende war, dann drehte ich weiter, und auf einmal war eine Geige da, eine wunderbare Geige. „Das wird Budapest sein, Pat. Zigeunermusik."

Ich stellte die Skala genau ein. Voll und weich schwebte jetzt die Melodie über dem mitflutenden Orchester von Cimbals, Geigen und Hirtenflöten. „Herrlich, Pat, was?"

Sie schwieg. Ich wandte mich um. Sie weinte mit weit geöffneten Augen. Ich stellte mit einem Ruck den Apparat ab. „Was ist denn, Pat?" Ich legte den Arm um ihre schmalen Schultern.

„Nichts Robby. Es ist dumm von mir. Nur wenn man das so hört, Paris, Rom, Budapest, — mein Gott, und ich wäre schon froh, wenn ich noch einmal ins Dorf hinunter könnte."

„Aber Pat."

Sie legte ihre Hand auf meinen Arm. „Willst du nicht die Zigeuner wieder spielen lassen?"

„Willst du sie hören?"

„Ja, Liebling."

Ich stellte den Apparat wieder an, und leise, dann immer voller klang die Geige mit den Flöten und Cimbals durch das Zimmer.

„Schön," sagte Pat. „Wie ein Wind. Ein Wind, der einen wegträgt."

Es war ein Abendkonzert aus einem Gartenrestaurant in Budapest. Das Gespräch der Gäste war manchmal durch das Raunen der Musik zu vernehmen, und ab und zu hörte man einen hellen, fröhlichen Ruf. Man konnte denken, daß jetzt auf der Margaretheninsel [6] die Kastanien schon

[6] auf der Margaretheninsel: *on Margaret's Island*, a popular resort in the Danube River at Budapest, with several hotels and bathing establishments.

das erste Laub hatten, und daß es blaß im Monde schimmerte und sich bewegte, als würde es durch den Geigenwind angeweht. Vielleicht war es auch schon ein warmer Abend, und die Leute saßen im Freien [7] und hatten Gläser mit dem gelben ungarischen Wein vor sich stehen, die Kellner liefen in ihren weißen Jacken hin und her, die Zigeuner spielten, nachher ging man durch die grüne Frühjahrsdämmerung müde nach Hause, und da lag Pat und lächelte und würde nie wieder aus diesem Zimmer herauskommen, nie wieder aus diesem Bette aufstehen.

Sie starb in der letzten Stunde der Nacht, bevor es Morgen wurde. Niemand konnte ihr helfen. Sie hielt meine Hand fest, aber sie wußte nicht mehr, daß ich bei ihr war.

Irgendwann sagte jemand: „Sie ist tot —"

„Nein," erwiderte ich, „sie ist noch nicht tot. Sie hält meine Hand noch fest —"

Licht. Unerträgliches, grelles Licht. Menschen. Der Arzt. Ich öffnete langsam meine Hand. Pats Hand fiel herunter.

„Pat," sagte ich. „Pat."

Und zum ersten Male antwortete sie mir nicht.

[7] im Freien: *in the open.*

VOCABULARY

VOCABULARY

NOTE. — The vocabulary is complete with these exceptions:

1. Numerals, common pronouns, prepositions and conjunctions, and some very easy words of high frequency.
2. Words so like English that their meaning can be guessed easily: *existieren, Kamelhaar, Kostüm, Modell,* etc.

References to the infinitive are provided in the case of less familiar strong verbs in both simple and compound forms: *hob,* see *heben; strich . . . vorbei,* see *vorbei-streichen.* Separable verbs are designated by the use of the hyphen.

Since most adjectives and adverbs have the same form in German, the adverbial meaning with the ending *-ly* is not given (*höflich,* polite), unless the adverbial meaning is the only one that occurs in the text.

A

ab, away, off; **— und zu,** now and then
der **Abend, –s, –e,** evening; **zu — essen,** eat supper
das **Abendbrot, –s, –e,** supper
das **Abendessen, –s, –,** supper
abends, in the evening
der **Abendverkehr, –s,** evening traffic
abermals, once again
ab-fahren, drive off, leave
ab-führen, arrest
ab-geben, give up
abgestoppt, timed with a stop watch
ab-hängen, depend, ring off
ab-heben, take off
ab-holen, call for, fetch
ab-machen, arrange
ab-räumen, clear off
ab-rutschen, slip off (the road)
der **Absatz, –es, ⸗e,** heel
ab-schalten, turn off
ab-schätzen, appraise
der **Abschied, –s, –e,** parting, departure
ab-schnallen, unfasten
ab-schütteln, shake off
ab-sperren, shut off
abstehend, projecting
ab-stellen, turn off
ab-streifen, pull off
das **Abteil, –s, –e,** compartment
die **Abteilecke, –, –n,** corner of the compartment
ab-warten, wait and see
abwärts, down
das **Abwärtsfahren, –s,** descent
ab-wehren, parry
abweisend, in an offhand manner
sich **ab-wenden,** look away, turn away
abwesend, absent
die **Abwesenheit, –, –en,** absence
ab-winken, shake one's head
ab-würgen, stall
ab-ziehen, pass out
die **Achsel, –, –n,** shoulder; **die —n zucken,** shrug one's shoulders

acht: sich in — nehmen, be careful
achten, pay attention
die **Achtung, –,** respect; **—!** look out!
affenheiß, devilish hot
ähnlich, similar, alike
die **Ahnung, –, –en,** idea
ahnungslos, unsuspecting
die **Ähre, –, –n,** ear of corn
albern, silly
allein, alone
allerhand, all sorts of things
allerlei, all kinds of things
allmählich, gradual
als, when, as, than
also, so, then, therefore
alt, old
der **Alt, –(e)s, -e,** contralto voice
das **Alter, –s,** age
altjüngferlich, old-maidish
der **Altmeister, –s, –,** past master
altmodisch, old-fashioned, antiquated
amtlich, official
amüsiert, amused
an-bieten, offer
der **Anblick, –s, –e,** sight
an-blicken, glance at, look at
die **Andacht, –,** reverence
ander, other; **was —es,** something different
anderswo, elsewhere
anderthalb, one and a half
an-fahren, run into, come to a stop, move off
der **Anfang, –s, ⸚e,** beginning
an-fangen, begin, do
an-flehen, beg
anfunkeln, glare at
an-geben, assign, suggest
angebracht, affixed, put up
angegriffen, affected, exhausted
die **Angelegenheit, –, –en,** affair, business
angenagelt: wie —, as if fixed to the spot
angespannt, tense
der **Angestellte, –n, –n,** employee
die **Angst, –, ⸚e,** fear
ängstigen, worry
ängstlich, anxious
an-halten, stop
an-hängen, hang up
an-knipsen, switch on
an-knurren, growl at
an-kommen, arrive; **auf jemand —,** depend upon someone
die **Anlage, –, –n,** park
an-lassen, start
an-legen, invest
sich **an-lehnen,** lean against (the bed)
an-machen, fasten
an-melden, announce; **ein Gespräch —,** put a call through
an-nehmen, assume
an-rufen, call up, telephone
an-rühren, move
die **Ansagerin, –, –nen,** announcer
an-schauen, look at
an-schließen, connect; **sich —,** attach oneself to
der **Anschlußzug, –s, ⸚e,** connecting train
an-sehen, look at
die **Ansicht, –, –en,** opinion, view
an-springen, leap away
anständig, decent, fair
anstatt, instead (of)
an-stellen, turn on
an-stoßen, touch glasses
an-tosen, roar up
die **Antwort, –, –en,** answer
antworten, answer
an-wehen, blow upon
die **Anweisung, –, –en,** instruction
die **Anzahl, –,** number
an-ziehen, attract; **sich —,** get dressed, put on, begin to move
der **Anzug, –s, ⸚e,** suit
an-zünden, light
der **Apfel, –s, ⸚,** apple; **geschmorte Äpfel,** apple sauce
der **Apparat, –s, –e,** instrument (telephone)

arbeiten, work
ärgerlich, annoyed, vexed
ärgern, annoy; **sich —**, be annoyed
argwöhnisch, suspicious
arm, poor
der **Ärmel, –s, –**, sleeve
der **Arzt, –es, ⸗e**, doctor, physician
der **Atem, –s**, breath; **— holen**, draw breath
atemlos, out of breath
die **Athletin, –, –nen**, female athlete
atmen, breathe
auf-arbeiten, recondition
auf-atmen, breathe (with relief)
sich **auf-bauen**, tower
auf-blühen, blossom out
auf-brechen, break out, break up, start out, start to go
auf-brühen, brew
auf-fahren, start up
auf-fangen, catch, lift up
auf-flammen, flame up
auf-fliegen, fly open
auf-fordern, challenge, invite
die **Aufforderung, –, –en**, challenge, invitation
aufgeregt, excited
aufgesprungen, cracked
aufgezwirbelt, turned up
auf-greifen, pick up
auf-heben, pick up
auf-holen, overtake, recover
auf-hören, stop
auf-klappen, snap open
sich **auf-klären**, clear up
auf-knöpfen, unbutton
sich **auf-krempeln (die Ärmel)**, roll up one's sleeves
auf-machen, open
aufmerksam, attentive
auf-passen, watch out
auf-räumen, clear up
sich **auf-recken**, straighten up
sich **auf-regen**, get excited
auf-reißen, fling open, tear open
sich **auf-richten**, straighten up
auf-schlagen, open
auf-schreiben, write down
auf-setzen, put on
auf-stehen, get up
auf-tauchen, appear
der **Auftrag, –s, ⸗e**, job
auf-tun, open
auf-wühlen, stir up
der **Aufzug, –s, ⸗e**, costume, elevator
das **Auge, –s, –n**, eye
der **Augenblick, –s, –e**, moment
augenblicklich, at the moment, instantly
der **Ausdruck, –s, ⸗e**, expression
aus-geben, spend
ausgebreitet, spread out
ausgehungert, starved
ausgelöscht, extinguished
ausgerüstet, equipped
aus-halten, hold out, stand it
aus-heilen, heal up
die **Auskunft, –, ⸗e**, information
aus-lachen, laugh at
aus-laden, unload
aus-laufen, run down, end
aus-leeren, empty out
aus-nützen, profit by, utilize
aus-packen, unpack
der **Auspuff, –s, –e**, exhaust
ausrangiert, cast off
die **Ausrede, –, –n**, excuse
aus-reißen, run away
der **Ausruf, –s, –e**, cry, exclamation
aus-saufen, drink up, empty
aus-schaufeln, shovel out
aus-schmücken, fix up
aus-sehen, look
außen, outside
außer, besides, outside of
außerhalb, outside of
außerordentlich, extraordinary
äußerst, extreme, uttermost
aus-setzen, stop
die **Aussprache, –, –n**, pronunciation
aus-sprechen, pronounce

aus-steigen, get out, step out
aus-strecken, stretch out; **sich lang —,** stretch out at full length
aus-suchen, select
aus-trinken, empty
aus-weichen, give way, vanish
ausweichend, evasive
aus-wischen: eins —, deal a blow at
aus-zahlen, pay out
aus-ziehen, take off
autobusdröhnend, roaring with buses
der **Autofachmann, –s, Autofachleute,** automobile expert
der **Autonarr, –en, –en,** automobile enthusiast

B

der **Backenknochen, –s, –,** cheek bone
die **Badekappe, –, –n,** bathing cap
der **Bademantel, –s, ⸚,** bathing wrap
baden, bathe
die **Bahn, –, –en,** station, way
der **Bahnhof, –s, ⸚e,** station
der **Bahnsteig, –s, –e,** platform
die **Bahre, –, –n,** stretcher
bald, soon
der **Balkon, –s, –e,** balcony
die **Balkontür, –, –en,** balcony door
die **Bank, –, ⸚e,** bench
der **Baß, –(ss)es, ⸚(ss)e,** bass voice
der **Baum, –es, ⸚e,** tree
der **Bausch, –es, ⸚e,** swab
beachten, notice
bedauern, be sorry, regret
bedeuten, mean
bedeutend, considerably
bedienen, attend, serve
beerdigen, bury
das **Beerdigungsauto, –s, –s,** motor hearse
befangen, prejudiced
sich **befinden,** be, be located
befriedigt, satisfied
befürchten, fear
begehrlich, covetous
die **Begeisterung, –,** enthusiasm
beglänzt, shiny
begreifen, understand
begrüßen, greet
behaart, hairy
behalten, keep, remember
behandeln, treat
die **Behandlung, –,** treatment; **in — sein,** be treated
behaupten, assert, maintain
beherrschen, dominate
beherrscht, sure
beherzigen, take to heart
behutsam, careful
bei, beside, near, by, at the house of, with
bei-bringen, teach
beide, both
bei-geben: sich klein —, give in
das **Bein, –es, –e,** leg
beiseite-legen, lay aside
beiseite-schieben, push aside
beiseite-stoßen, kick aside
das **Beispiel, –s, –e,** example
der **Bekannte, –n, –n,** acquaintance
bekommen, get, have, receive
beladen, loaded
die **Belastung, –, –en,** load
belauschen, overhear
belegen, cover; **belegte Brötchen,** sandwiches
belehren, teach
beleuchten, illumine
bellen, bark
belustigt, amused
bemerkbar, noticeable
bemerken, notice
sich **benehmen,** behave
das **Benzin, –s,** gasoline; **die —pumpe, –, –n,** gas pump
beobachten, observe, watch
bequem, comfortable
bereits, already
die **Bergwand, –, ⸚e,** mountain wall
der **Bernstein, –s,** amber

bernsteinfarben, amber-colored
der **Beruf, –s, –e,** profession
beschäftigen, keep busy, occupy
die **Beschämung, –, –en,** humiliation
der **Bescheid, –s, –e,** information; **— sagen,** give a piece of one's mind
bescheiden, modest
der **Beschenkte, –n, –n,** one who receives a present
beschließen, decide, determine
beschützen, protect
beseelen, give a soul to
besetzt, occupied; **wenig —,** almost empty
sich **besinnen,** reflect, think
der **Besitzer, –s, –,** owner, proprietor
besonder, especial
besonders, especially
besorgen, look after, provide
besorgt, anxious
bespannt, harnessed
die **Besprechung, –, –en,** interview
sich **bessern,** improve
besteigen, get into
bestellen, order, deliver (a message)
bestimmt, certain, definite, sure
der **Besuch, –s, –e,** company, visit; **zu —,** on a visit
betrachten, look at
betrogen, *see* **betrügen**
betrügen, cheat
betrunken, drunk
sich **beugen,** lean, stoop
bewegt, flickering (of light)
die **Bewegung, –, –en,** movement
bewohnen, occupy
der **Bewohner, –s, –,** inhabitant
bezahlen, pay
bezeichnen, designate
sich **beziehen,** become overcast
der **Bezug, –s, ⸚e: in — auf,** as regards
das **Bierfaß, –(ss)es, ⸚(ss)er,** beer barrel
der **Bierwirt, –s, –e,** proprietor of a beer garden
billig, cheap
bisher, hitherto
biß . . . zusammen, *see* **zusammen-beißen**
bißchen, little bit
bitte, please
sich **blamieren,** disgrace oneself
blank, bare
blaß, pale
das **Blatt, –s, ⸚er,** sheet of paper
blau, blue
das **Blei, –s, –e,** lead
bleiben, remain, stay; **darauf sitzen —,** get left with it; **stehen —,** stop
bleich, pale
der **Bleistift, –s, –e,** pencil
blenden, blind
der **Blick, –s, –e,** glance
blicken, look, glance
blind, dull
blinken, gleam, sparkle
blinzen, blink
der **Blitz, –es, –e,** lightning, stroke of lightning
blödsinnig, silly
bloß, only
blühen, blossom
der **Blumenladen, –s, ⸚,** flower shop
blumig, flowery
das **Blut, –es, –e,** blood
die **Blüte, –, –n,** bloom
bluten, bleed
blütenweiß, pure white
der **Blütenzweig, –s, –e,** spray of blossoms
blutig, bloody
der **Blutsturz, –es, ⸚e,** hemorrhage
die **Blutung, –, –en,** hemorrhage
der **Boden, –s, ⸚,** floor, ground
der **Bogen, –s, ⸚,** curve, detour
sich **bohren,** bore
die **Bombe, –, –n,** bomb
die **Bordschwelle, –, –n,** curb
borgen, borrow

böse, bad
das **Boxen, –s,** boxing match, fight
brachte, *see* **bringen**
die **Brandung, –,** surf
die **Bratkartoffeln** (*pl.*), fried potatoes, potato chips
brauchen, need, use
brav, gallant
brechen, break
breit, broad, wide
die **Bremse, –, –n,** brake
bremsen, put on the brakes
brennen, burn, be lighted
der **Brief, –es, –e,** letter
die **Brieftasche, –, –n,** pocketbook
der **Briefträger, –s, –,** postman
die **Brille, –, –n,** glasses
bringen, bring
der **Brocken, –s, –,** fragment
der **Brokatsessel, –s, –,** brocade armchair
das **Brot, –es, –e,** bread
das **Brötchen, –s, –,** roll; **belegtes —,** sandwich
brüllen, roar, shout
brummig, peevish
die **Brust, –, ⸚e,** breast, chest
brüten, brood, shine with brooding warmth
der **Buchstabe, –n, –n,** letter
die **Bude, –, –n,** booth, room; **dunkle —,** dark hole
das **Bündel, –s, –,** bundle
bunt, bright, gay
das **Burgundergesicht, –s, –er,** Burgundy-red face
das **Büro** *or* **Bureau, –s, –s,** office
der **Bursche, –n, –n,** fellow
der **Busch, –es, ⸚e,** bunch
der **Busen, –s, –,** bosom
das **Butterbrot, –s, –e,** slice of bread and butter; **für ein —,** for almost nothing

C

die **Chaussee, –, –n,** highway, road
das **Chausseegespenst, –s, –er,** road spook
der **Chefarzt, –es, ⸚e,** head doctor
das **Chorgesang, –s,** choral singing
der **Citroën, –s,** foreign make of automobile
der **Co.** = **Compagnie** (*pronounce as in French*), company

D

da, there, then, here
dabei, included, in the act, in this connection, at it
da-bleiben, stay there
das **Dach, –es, ⸚er,** roof
dachte, *see* **denken**
dagegen, against it, on the other hand
damals, at that time
die **Damenkonditerei, –, –en,** ladies' tearoom
damit, in order that, with it
dämmerig, dusky, almost dark
dämmern, grow dark
die **Dämmerung, –,** darkness, twilight
der **Dampfer, –s, –,** steamer
danach, after that
dann, then
darauf, after that, on it; **—hin,** as a result of it
darunter, under it
da-stehen, stand there
davon, of it, from it
davon-ziehen, draw away
dazu, for that
dazu-kommen, come to it
die **Decke, –, –n,** blanket, rug
sich **dehnen,** stretch out
die **Delikatesse, –, –n,** tasty dish
der **Delikatessenladen, –s, ⸚,** pastry shop
denken, think; **sich —,** imagine
denn, for (*conj.*), then
die **Dependance, –, –n,** annex
die **Depesche, –, –n,** dispatch, telegram
deshalb, that's why, therefore
deutlich, clear
Deutschland, Germany

dicht, close
dick, heavy, stout
der **Dicke, –n, –n,** fat fellow
der **Diebstahl, –s, –̈e,** theft
das **Dienstmädchen, –s, –,** maid, servant
diesig, misty
der **Dilettant, –en, –en,** dilettante, amateur
das **Ding, –es, –e,** thing
doch, but, at least, surely; yes, I do!
die **Dogge, –, –n,** bulldog, mastiff
der **Domgarten, –s, –̈,** cathedral garden
donnern, thunder
doppelt, double, twice
das **Dorf, –es, –̈er,** village
dort, there
die **Dose, –, –n,** container
der **Drachen, –s, –,** dragon
die **Drahtseilbahn, –, –en,** funicular railway
dran = daran, at it, of it
drang, *see* **dringen**
drauf = darauf, on it, to it
draus = daraus, out of it
draußen, outside
der **Dreckfink, –en, –en,** guttersnipe
dreckig, dirty
drehen, turn (dial)
drein = darein, in, in it
der **Drescher, –s, –,** thresher
drin = darin, in it
dringen, issue forth, penetrate
dringend, urgent
drinnen, inside
drüben, over there
der **Druck, –s, –e,** pressure
drücken, push
der **Dubonnet,** dubonnet (drink)
sich **ducken,** dive in
der **Duft, –s, –̈e,** fragrance
die **Düne, –, –n,** dune
dunkel, dark; **dunkle Stimme,** deep voice
das **Dunkel, –s,** darkness
die **Dunkelheit, –, –en,** darkness
dunkelrot, dark red
dünn, thin
der **Dunst, –es, –̈e,** mist, thin air
das **Durcheinander, –s,** confusion
durchflogen, suffused
durch-halten, hold out
sich **durch-helfen,** support oneself
durch-kommen, recover
durchleuchten, shine through
der **Durst, –es,** thirst
das **Dutzend, –s, –e,** dozen
sich **duzen,** call each other "thou" (du)

E

eben, just; **— grade,** just now
ebenfalls, likewise
ebenso . . . wie, just the same as
die **Ecke, –, –n,** corner
egal, immaterial
ehe, before
eher, rather
die **Ehre, –, –n,** honor
eifrig, eager
eigen, own
eigentlich, really
eilig, hurried, urgent
der **Eimer, –s, –,** bucket
ein-biegen, turn in
sich **ein-bilden,** imagine
einbog, *see* **ein-biegen**
der **Eindruck, –s, –̈e,** impression
einfach, simple
der **Einfall, –s, –̈e,** sudden idea, "wisecrack"
ein-fallen, occur (to one to say)
der **Eingang, –s, –̈e,** entrance
eingefallen, fallen in
eingeschnappt, taken aback
eingewickelt, wrapped up
ein-kaufen, purchase
ein-lassen: sich darauf —, have anything to do with that
einmal, once; **auf —,** suddenly; **nicht —,** not even
einschmeichelnd, caressing
sich **einschmiegen,** nestle

die **Einschränkung, –, –en,** reservation
ein-setzen, begin
ein-stecken, put in (pocket)
ein-steigen, get aboard, get in
ein-stellen, adjust, put up; **sich —,** appear
ein-streichen, rake in
ein-tauchen, dip in
ein-treten, step in, take place
die **Einzelheit, –, –en,** detail
einzeln, one by one, single
einzig, only
die **Eisenbahn, –, –en,** railroad, train
eisern, in an iron grip
das **Eisstück, –s, –e,** piece of ice
das **Elend, –s,** miserable business, misery
die **Eltern** (*pl.*), parents
der **Empfang, –s, ⁻e,** reception; **in — nehmen,** receive, welcome
empor-steigen, climb up
empört, furious
endlich, finally
endlos, endless
entdecken, discover
entgegen, towards
entgegengesetzt, opposite
entgegen-kommen, come towards
entgegen-strecken, stretch out
entgleiten, slip away
entlang, along
entlang-schnauben, puff along
entrinnen, escape
entronnen, *see* **entrinnen**
entrüstet, indignant
entscheiden, decide
sich **entschließen,** decide
entschlossen, resolute
entschuldigen, forgive, pardon; apologize; **—d,** apologetic
entschwand, *see* **entschwinden**
entschwinden, disappear
entstehen, arise, follow
enttäuschen, disappoint
entwickeln, develop
das **Entwicklungsjahr, –s, –e,** year of growth
entwurzelt, uprooted
sich **erbarmen,** have mercy
erben, inherit, receive a legacy
erbittert, embittered
erblicken, catch sight of
die **Erde, –, –n,** earth
erfahren, find out, learn
erfinden, invent
erfuhr, *see* **erfahren**
ergänzen, add, supplement
ergattern, hunt up, obtain
das **Ergebnis, –(ss)es, –(ss)e,** result, upshot
erhalten, receive
sich **erheben,** get up
erhellen, illumine
erhob, *see* **erheben**
sich **erholen,** recover
erinnern, remind
die **Erinnerung, –, –en,** memory
erkältet, caught cold
die **Erkältung, –, –en,** cold
erkennen, recognize
erklären, declare, explain, say
sich **erkundigen,** inquire
erlauben, permit, allow
erleben, live to see, experience
erledigen, settle
erleichtert, relieved
die **Erleichterung, –, –en,** relief
erleuchten, light
erlöschen, expire, go out
erlöst, relieved
ermuntern, encourage
ernsthaft, serious
erobern: im Sturm —, take by storm
erregend, exciting
die **Erregung, –, –en,** excitement
erreichen, reach
erschallen, resound
erscheinen, appear, seem
erscholl, *see* **erschallen**
erschrecken, frighten, terrify
erst, first, only; **— als,** not until; **zum erstenmale,** for the first time

erstarren, stiffen
das **Erstaunen, –s,** astonishment
erstaunlich, astonishing
erstaunt, astonished
erstickt, choked, suffocated
der **Erstickungsanfall, –s, ⸚e,** fit of choking
ertragen, endure, stand
erwachen, awake
erwarten, await, expect
die **Erwartung, –, –en,** expectancy
erwartungsvoll, expectant
sich **erweisen (als),** show oneself to be
erwidern, reply
erwischen, catch
erzählen, tell
der **Esel, –s, –,** donkey, ass
essen, eat; **zu Abend—,** eat supper
das **Essen, –s,** dinner
die **Essiggurke, –, –n,** sour pickle
etwa, perhaps
etwas, some, somewhat, something

F

fabelhaft, marvelous, wonderful
die **Fabrik, –, –en,** factory
der **Fachmann, –s, Fachleute,** expert
fahl, pale
fahren, go, drive, move, ride; **in die Knochen —,** strike
die **Fahrkarte, –, –n,** ticket
das **Fahrrad, –s, ⸚er,** bicycle
der **Fahrschüler, –s, –,** driving pupil
der **Fahrstuhl, –s, ⸚e,** elevator
die **Fahrt, –, –en,** ride
der **Fahrunterricht, –s,** driving lessons
der **Fahrweg, –s, –e,** drive
der **Fall, –s, ⸚e,** case
fallen, fall
falsch, wrong
faltig, wrinkled
der **Familiensinn, –s, –e,** family feeling
fand, *see* **finden**
die **Farbe, –, –n,** color
fassen, grasp, grip
fassungslos, disconcerted
fast, almost
fauchen, scold
die **Faust, –, ⸚e,** fist; **die Fäuste ineinander pressen,** clench one's fists
fegen, sweep
feiern, celebrate
fein, nice, polite
das **Feld, –es, –er,** field
das **Fenster, –s, –,** window
die **Fensterbank, –, ⸚e,** seat by the window
die **Ferien** (*pl.*), holidays, vacation
fern, far, distant
die **Ferne, –,** distance
fertig, ready, done
fest, firm, tight
das **Fest, –es, –e,** feast, festival
fest-halten, hold fast; **sich an etwas —,** cling to something
fest-stellen, determine, notice
fettig, greasy
feucht, moist, wet
das **Feuer, –s, –,** fire; **— geben,** give a light
feuerspeiend, fire-spitting
das **Feuerwerk, –s,** (display of) fireworks
das **Fieber, –s, –,** fever
die **Fieberkurve, –, –n,** temperature chart
fiel, *see* **fallen**
finden, find, think
fing . . . auf, *see* **auf-fangen**
Firenze, Florence (Italy)
flach, flat
die **Flasche, –, –n,** bottle
die **Flaschenreihe, –, –n,** row of bottles
der **Fleck, –s, –e,** patch
flennen, cry, whine
der **Flieder, –s, –,** lilac; **der —busch, –es, ⸚e,** lilac bush; **der —zweig, –s, –e,** lilac branch

fließend, molten
flimmern, sparkle
flink, fleet, swift
die **Flocke**, –, –**n**, flake
flog . . . auf, *see* **auf-fliegen**
flog . . . heraus, *see* **heraus-fliegen**
die **Flöte**, –, –**n**, flute
fluchen, curse
die **Flucht**, –, –**en**, flight; **in die — schlagen**, put to flight
das **Flugzeug**, –**s**, –**e**, airplane; **der —führer**, –**s**, –, air pilot
flüstern, whisper
die **Folge**, –, –**n**, consequence
folgen, follow, obey
die **Forderung**, –, –**en**, demand
forschend, searchingly
fort, away, gone, out
fort-fahren, continue
fort-müssen, must go away
fragen, ask; **—d**, inquiringly
die **Frechheit**, –, –**en**, boldness
frei, free, clear, open
das **Freie**, –**n**, the open
fremd, strange
die **Freude**, –, –**n**, joy
sich **freuen**, be glad
der **Freund**, –**es**, –**e**, friend
freundlich, friendly
der **Friedhofbaum**, –**s**, ⸚**e**, tree in a cemetery
friedlich, peaceful
frisch, fresh
froh, glad
fröhlich, gay, joyous
frösteln, shiver
das **Frottiertuch**, –**s**, ⸚**er**, towel
früh, early, soon; **—er**, formerly
das **Frühjahr**, –**s**, spring
die **Frühjahrsdämmerung**, –, –**en**, spring dawn
der **Frühling**, –**s**, –, spring
das **Frühstück**, –**s**, –**e**, breakfast
frühstücken, have breakfast
frühzeitig, early
sich **fühlen**, feel
führen, lead
der **Führerschein**, –**s**, –**e**, license
funkeln, sparkle
die **Furcht**, –, fear
furchtbar, terrible
fürchten, be afraid, fear
der **Fürst**, –**en**, –**en**, prince
der **Fuß**, –**es**, ⸚**e**, foot
der **Fußgang**, –**s**, ⸚**e**, path
der **Fussgänger**, –**s**, –, pedestrian
futtern, eat

G

gähnen, yawn
galt, *see* **gelten**
die **Gamaschen** (*pl.*), leggings
der **Gang**, –**s**, ⸚**e**, walk; **im ersten —**, in low gear
ganz, quite, entire
die **Garderobe**, –, wardrobe
gar nicht, not at all
das **Gartentor**, –**s**, –**e**, garden gate
das **Gas**, –**es**, gasoline; **— geben**, "step on it"; **mit vollem —**, at full speed
der **Gashebel**, –**s**, accelerator
der **Gast**, –**s**, ⸚**e**, guest; **das —haus**, –**es**, ⸚**er**, inn
geben, give; **es gibt**, there is (are)
das **Gebirge**, –**s**, –, mountains
geblendet, dazzled
gebogen, arched
gebraten, fried
der **Gebrauch**, –**s**, ⸚**e**, use
gebrauchen, use
das **Gebrodel**, –**s**, tumult
der **Geburtstag**, –**s**, –**e**, birthday
das **Geburtstagsgeschenk**, –**s**, –**e**, birthday present
gedämpft, muffled, subdued
der **Gedanke**, –**ns**, –**n**, thought
das **Gedicht**, –**s**, –**e**, poem
geduldig, patient
die **Gefahr**, –, –**en**, danger
gefährlich, dangerous
gefallen, please
das **Gefängnis**, -(**ss**)**es**, -(**ss**)**e**, jail
das **Gefühl**, –**s**, –**e**, feeling
gefühlvoll, feelingly

gegen, against, towards
die **Gegend, –, –en,** neighborhood; **in die — schnuppern,** sniff the air
der **Gegensatz, –es, ⸚e,** contrast, opposite
gegenseitig, mutual
das **Gegenteil, –s, –e,** contrary
gegenüber-stehen, confront
der **Gehalt, –s, ⸚er,** quality, substance
geheim, secret
das **Geheimnis, –(ss)es, –(ss)e,** mystery, secret
gehen: das geht nicht, that won't do; **es wird schon —,** it will be all right
das **Gehen, –s,** going, ticking (of a clock)
gehören, belong to
die **Geige, –, –n,** violin
der **Geigenwind, –s,** breeze of the violins
der **Geist, –es, –er,** ghost
geisterhaft, like a ghost, mysterious
die **Geisterhand, –, ⸚e,** ghostly hand
geistlich, clerical, spiritual
gekrampft, clenched
das **Gelächter, –s,** laugh
gelangweilt, bored
gelb, yellow
das **Geld, –es, –er,** money
die **Gelegenheit, –, –en,** opportunity
gelegentlich, at one's convenience
gelingen, succeed
gellen, sound shrill
gelten, be aimed at, be good (valid), concern
der **Gemeindefriedhof, –s, ⸚e,** municipal cemetery
die **Gemeinheit, –, –en,** base deed, mean act
genau, accurate, exact, thorough
genug, enough
das **Gepäck, –s,** baggage; **der —träger, –s, –,** porter
gepflegt, well-tended
gepolstert, upholstered
gepreßt, stifled
gerade, exact, just, straight, at once
geradezu, actual, downright
geraten, get into
das **Geräusch, –es, –e,** noise
gereizt, irritated
gern(e), gladly; **— haben,** like
gerötet, flushed
der **Geruch, –s, ⸚e,** odor, smell
das **Geschäft, –s, –e,** business, deal, store
geschäftlich, business
der **Geschäftsmann, –s, Geschäftsleute,** businessman
geschäftstüchtig, enterprising
geschickt, skillful
geschmeidig, graceful, supple
geschmort, stewed; **—e Äpfel,** apple sauce
geschmückt, decorated
das **Geschwätz, –es,** babble
die **Gesellschaft, –, –en,** company
das **Gesetz, –es, –e,** law
das **Gesicht, –s, –er,** face
das **Gespenst, –s, –er,** ghost
das **Gespräch, –s, –e,** conversation; **ein — anmelden,** put through a call
das **Gestade, –s, –,** shore
gestern, yesterday
gesund, healthy, well
das **Getränk, –s, –e,** drink
die **Gewalt, –, –en,** power
gewann, *see* **gewinnen**
das **Gewicht, –s, –e,** weight
gewinnen, gain, win
gewiß, certain
sich **gewöhnen (an),** get used to
gewöhnt, accustomed
gewonnen, *see* **gewinnen**
gilt, *see* **gelten**
die **Ginflasche, –, –n,** bottle of gin
das **Gitter, –s, –,** fence, railing
der **Glanz, –es, –e,** luster, splendor
glänzen, shine

glänzend, shining, brilliant
glasig, glazed
glätten, smooth out
glauben, believe
gleich, equal, same, alike, at once; **auf —er Höhe,** at the same level
das **Gleichgewicht, –s, –e,** balance
gleichgültig, indifferent
gleichmäßig, even, steady
gleichzeitig, at the same time
gleiten, glide
der **Gleitflug, –s, ⸗e,** glide
glitt, *see* **gleiten**; — . . . **heraus,** *see* **heraus-gleiten**; — . . . **hindurch,** *see* **hindurch-gleiten**
glitzern, sparkle
glotzen, gape, stare
das **Glück, –s,** (piece of) luck, good fortune
glücklich, happy, safe
der **Glücksfall, –s, ⸗e,** windfall
glühen, gleam
Gottseidank, thank God!
das **Grab, –s, ⸗er,** grave
grad = gerade, exact, just
gratulieren, congratulate
grau, gray
greifen, grasp, reach
grell, dazzling, harsh
die **Grenze, –, –n,** boundary, limit
griff, *see* **greifen**; — . . . **auf,** *see* **auf-greifen**
die **Grimasse, –, –n,** grimace, wry face
grimmig, grim
grinsen, grin
die **Grippe, –,** influenza
großartig, wonderful
die **Grube, –, –n,** pit
der **Grund, –s, ⸗e,** reason
gründlich, complete, thorough
die **Gründlichkeit, –,** thoroughness
grunzen, grunt
der **Gruß, –es, ⸗e,** greeting
gurgelnd, gurgling
das **Gurtband, –s, ⸗er,** strap
das **Gut, –s, ⸗er,** property
das **Gymnasium, –s, Gymnasien,** classical school, college

H

das **Haar, –s, –e,** hair
der **Haarwald, –s,** forest of hair
halb, half
das **Halbdunkel, –s,** semidarkness, twilight
half, *see* **helfen**
die **Halle, –, –n,** hall
der **Hals, –es, ⸗e,** neck, throat
der **Halt, –s, –e,** support
halten, hold, stop; **— auf,** be particular about; **— für,** consider, take for; **sich — an,** depend upon
die **Haltung, –, –en,** attitude
der **Hammerschlag, –s, ⸗e,** blow with a hammer
sich **handeln (um),** be a question of
handfest, crude, rough
der **Händler, –s, –,** dealer
der **Handschuh, –s, –e,** glove
das **Handtuch, –s, ⸗er,** towel
der **Hang, –s, ⸗e,** slope
das **Harz, –es,** pine, resin
hassen, hate
häßlich, ugly
hasten, hurry
das **Häubchen, –s, –,** cap
der **Hauch, –s, –e,** breath, breeze
hauen, pound
der **Haufen, –s, –,** heap
das **Hauptgesetz, –es, –e,** first law
die **Hauptstraße, –, –n,** main street
die **Hauptversammlung, –, –en,** main meeting
der **Hausdiener, –s, –,** manservant
die **Haut, –s, ⸗e,** skin
die **Hecke, –, –n,** hedge
heftig, violent, vigorous
heilig, holy
die **Heilung, –, –en,** cure
heimlich, secret
heiß, hot
heißen, be called, command, mean

die **Heiterkeit, –,** gaiety
die **Heizung, –,** heating
helfen, help
hell, bright, clear, sheer
hellblau, bright blue
die **Helligkeit, –,** brightness
hellrot, bright red
das **Hemd, –s, –en,** shirt
der **Hemdsärmel, –s, –,** shirt sleeve
der **Henkel, –s, –,** handle
herab-ziehen, pull down *or* off
heran-bilden, train
heran-fegen, sweep up
heran-holen, bring up
heran-kommen, come up
heran-lassen, allow near it
heranschießend, piercing
heran-stampfen, come pitching along
heran-summen, hum along
herauf, up; **von unten —,** from head to foot
heraus-fliegen, come flying out
heraus-gleiten, slide out
heraus-polken, dig out, find out
sich **heraus-wälzen,** hurtle out
der **Herbst, –es, –e,** autumn, fall
herein-kommen, come in
her-haben, get
her-kommen: weit —, come from a distance
hernieder-sprühen, spray down
Herrgott! Lord! good heavens!
herrlich, glorious, splendid
her-schleppen, drag along
herum-bringen, get through
herum-murksen, tinker around
herum-reden, talk a lot
sich **herum-treiben,** wander around
herunter, down
sich **herunter-beugen,** bend over
herunter-drehen, lower
herunter-fallen, fall down, drop
herunter-schütten, tip down
herunter-schweben, float down
herunter-starren, stare down
hervor-kriechen, crawl out
hervor-quellen, gush forth
hervor-stoßen, gasp
hervor-ziehen, take out
das **Herz, –ens, –en,** heart
die **Herzgegend, –,** region of the heart
das **Herzklopfen, –s,** palpitation
heulen, howl, roar, whine
das **Heupferd, –s, –e,** grasshopper
heute, today
hielt, *see* **halten**
hierher-wollen, want to be here
der **Himbeersaft, –s, ⁼e,** raspberry juice
der **Himmel, –s, –,** sky
hin, down, there, thither; **vor sich —,** before him
hinauf, up
hinaus-flattern, flutter out
hinaus-schieben, push out
hinaus-schwanken, stagger out
hin-bringen, take there
hindurch-gleiten, slip through
hing . . . ab, *see* **ab-hängen**
hin-halten, hold out
hin-legen, lay
hin-müssen, must go there
hinreißend, charming
hinten, back; **nach —,** backward
die **Hinterachse, –, –n,** rear axle
hinterher, afterwards
hinterlassen, leave word
hinüber-gehen, walk over
hinüber-schauen, look over
hinüber-sehen, look over
hinweg, forth, out
hinweg-kommen, get along
hinzu-fügen, add
hinzu-legen, lay alongside
die **Hirtenflöte, –, –n,** shepherd's flute
hob . . . hoch, *see* **hoch-heben**
hoch, high, up
hochbordig, high-built, top-heavy
hoch-heben, lift up, raise
hoch-klappen, lift up
der **Hochmut, –s,** arrogance

höchstens, at most
hocken, crouch
der **Hof**, –s, ⸚e, yard, courtyard
hoffen, hope
hoffentlich, it is to be hoped
die **Hoffnung**, –, –en, hope
höflich, polite
die **Höflichkeit**, –, politeness
die **Höhe**, –, –n, height, summit; **auf gleicher** —, at the same level; **auf halber** —, halfway up
hohl, hollow
holen, fetch, get; **Atem** —, draw a breath
die **Hölle**, –, –n, hell, purgatory
hölzern, wooden
hoppla! get a move on!
horchen, listen
hören, hear
der **Hörer**, –s, –, receiver
hübsch, pretty
die **Hüfte**, –, –n, hip
die **Hülle**, –, –n, cover
der **Hund**, –s, –e, dog
hupen, blow the horn, honk
der **Husten**, –s, –, cough
der **Hut**, –s, ⸚e, hat

I

ihretwegen, for her sake
immer, always; — **noch**, still
immerfort, continually
immerhin, after all, all the same
ineinander pressen: die Fäuste —, clench one's fists
innen, inside
die **Insel**, –, –n, island
das **Inserat**, –s, –e, advertisement
sich **interessieren (für)**, be interested in
inzwischen, meanwhile
irgendetwas *or* **irgendwas**, something
irgendwann, sometime
irgendwo(hin), somewhere
irisch, Irish
irrsinnig, insane, wild
is = ist

J

die **Jacke**, –, –n, jacket
der **Jagdhund**, –s, –e, hunting dog
jagen, race
jäh, sudden
das **Jahr**, –s, –e, year
jammervoll, miserable
jappen, pant
je . . . umso, the . . . the
jemand, someone
jetzt, now
jubelnd, triumphant
die **Jugend**, –, youth, youthfulness
der **Junge**, –n, –n, boy

K

der **Käfer**, –s, –, beetle
der **Kaffee**, –s, coffee
die **Kaffeebohne**, –, –n, coffee bean
das **Kaffeekränzchen**, –s, coffee club
kahl, bald, bare
kalkig, chalky
kalkweiß, chalky white
die **Kälte**, –, cold
der **Kamin**, –s, –e, fireplace
der **Kampf**, –s, ⸚e, fight
kampfbereit, ready for battle
der **Kanal**, –s, ⸚e, canal
die **Kanne**, –, –n, pot
kannte, *see* **kennen**
die **Kanone**, –, –n, "big gun"
die **Kappe**, –, –n, cap
kaputt, exhausted
kariert, checkered
die **Karrosserie**, –, –n, body
die **Karte**, –, –n, ticket
die **Kaschemme**, –, –n, "dive"
der **Käse**, –s, –, cheese
die **Kasernenhofstimme**, –, –n, barrack-yard voice
die **Kastanie**, –, –n, chestnut tree
der **Kasten**, –s, –, box, "crate"
kaufen, buy
kaum, scarcely
die **Kehre**, –, –n, turn
der **Kellner**, –s, –, waiter
kennen, know

der **Kenner**, –s, –, connoisseur
der **Kerl**, –s, –e, fellow
der **Kern**, –s, –e, kernel, heart
die **Kette**, –, –n, chain
keuchen, gasp, pant
das **Kilometer**, –s, –, about ⅝ of a mile
der **Kindskopf**, –s, ¨e, baby
das **Kino**, –s, "movie"
kippen, tip down
das **Kirsch**, –es, cherry brandy
kirschrot, cherry-red
das **Kissen**, –s, –, pillow
die **Kiste**, –, –n, "old box" (automobile)
der **Kläffer**, –s, –, mongrel
klagend, plaintive
klang, *see* **klingen**
die **Klappe**, –, –n, flap
klappen, bang, come out well, succeed
klar, clear, certain, of course
klatschen, beat, drip
das **Klaviersolo**, –s, –s, piano solo
der **Klavierspieler**, –s, –, piano player
der **Klaxon**, –s, –s, automobile horn
kleben, stick
klebrig, sticky
das **Kleingeld**, –s, small change
klein-schlagen, break up
klettern, climb
der **Klingelknopf**, –s, ¨e, pushbutton
klingeln, ring
klingen, sound
klirren, clatter, clink
klopfen, knock, pat, tap
knapp, scanty
der **Knäuel**, –s, –, crowd, throng
die **Kneipe**, –, –n, beer house, tavern
knieen, kneel
knirschend, crunching, grinding
knistern, crackle
der **Knochen**, –s, –, bone; **in die — fahren**, strike

knochig, bony
knurren, growl
kochen, boil, cook; **Kaffee —**, make coffee
der **Koffer**, –s, –, bag, suitcase, trunk
der **Kofferradio**, –s, –s, portable radio
die **Kolonne**, –, –n, column, gang
der **Kompagnieführer**, –s, –, company commander, lieutenant
der **Komponist**, –en, –en, composer
die **Konditerei**, –, –en, confectioner's, tearoom
können, be able, can
die **Konservenbüchse**, –, –n, preserve tin
kontrollieren, test
der **Kopf**, –s, ¨e, head
der **Korn**, –s, ¨er, whisky
der **Körper**, –s, –, body
der **Kotflügel**, –s, –, mudguard, fender
krachen, crack
die **Kraft**, –, ¨e, strength
kräftig, hard, powerful
kraftlos, feeble
der **Kragen**, –s, –, collar
kramen, rummage
krampfhaft, rigid
krank, sick
das **Krankenhaus**, –es, ¨er, hospital
die **Krankheit**, –, –en, disease
die **Kranzschleife**, –, –n, ribbon on a wreath
kratzen, scratch
das **Kraut**, –s, ¨er, herb, wild plant
die **Kravatte**, –, –n, necktie
kreidig, chalky white
kreischen, scream
das **Krematorium**, –s, **Krematorien**, crematorium
der **Krieg**, –s, –e, war
kriegen, get
der **Krieger**, –s, –, soldier, warrior

kroch . . . hervor, *see* **hervorkriechen**
die **Küche, –, –n,** kitchen
der **Kuchen, –s, –,** cake
das **Kuchenkrümel, –s, –,** cake crumb
der **Kuckuck, –s, –e,** cuckoo
die **Kuh, –, ⸚e,** cow
kühlen, cool
der **Kühler, –s, –,** radiator
kühn, bold
sich **kümmern,** be concerned, get busy, mind
künstlich, artificial
kuppeln, work the clutch
die **Kuppelung, –, –en,** clutch
der **Kurort, –s, –e,** watering place
das **Kursbuch, –s, ⸚er,** timetable
kurvig, curving, full of curves
kurz, short
die **Kusine, –, –n,** cousin
küssen, kiss
der **Kutscher, –s, –,** driver

L

lächeln, smile
das **Lächeln, –s,** smile
lachen, laugh
lächerlich, ridiculous
der **Lack, –s, –e,** lacquer finish, paint, polish
der **Laden, –s, ⸚,** shop
die **Lage, –, –n,** position, situation
das **Lager, –s, –,** bearing (automobile)
das **Lampenlicht, –s, –er,** lamplight
das **Land, –s, ⸚er,** country
lang, long, tall
lange, long, for a long time
langsam, slow
längst, for a long time, long since
der **Langstreckenläufer, –s, –,** long-distance runner
langweilig, boring
der **Lärm, –s, –e,** noise
las, *see* lesen
lassen, let, allow
lässig, careless
lästern, abuse
der **Lastwagen, –s, –,** truck
die **Laterne, –, –n,** street lamp
das **Laub, –es, –e,** foliage, leaf
die **Laube, –, –n,** arbor
lauernd, watching
laufen, run, go
der **Läufer, –s, –,** carpet
die **Laune, –, –n,** humor
lauschen (auf), listen to
der **Lausebengel, –s, –,** blackguard, insolent fellow
laut, loud, noisy
der **Laut, –s, –e,** cry, sound
lautlos, noiseless, silent
leben, live
das **Leben, –s, –,** life
lebendig, alive; — **werden,** come to life
die **Lebensgeschichte, –, –n,** life story
die **Lebenskraft, –, ⸚e,** life force
die **Leber, –, –n,** liver
lebhaft, cheerful, lively
die **Ledergamaschen** (*pl.*), leather leggings
ledern, leather
leer, empty
das **Leere, –n,** empty space
legen, lay, place
die **Lehne, –, –n,** back (of chair)
lehnen, lean
der **Lehrer, –s, –,** teacher
die **Lehrlingsstelle, –, –n,** apprentice job
leicht, easy, light, slightly
leichtverletzt, slightly injured
leid: tuts mir —, I am sorry
leidenschaftlich, passionate
leider, unfortunately
leidlich, passable, tolerable
leihen, lend
die **Leine, –, –n,** leash
leise, soft
leisten, do, perform
die **Lerche, –, –n,** lark
lesen, read

letzt, last; —**hin**, lately
leuchten, shine
der **Leuchtkäfer, –s, –**, firefly
die **Leute** (*pl.*), people
das **Licht, –s, –er**, light
die **Lichtgarbe, –, –n**, beam
die **Lichtleitung, –, –en**, electric light
das **Lichtnetz, –es, –e**, network of lights
der **Lichtschein, –s, –e**, gleam of light
das **Lid, –s, –er**, eyelid
die **Liebe, –, –n**, love
lieber, rather
der **Liebling, –s, –e**, darling, favorite
lieblos, loveless
das **Lied, –s, –er**, song
lief, *see* **laufen**
liegen, lie, be located
der **Liegestuhl, –s, ⸚e**, deck chair
ließ, *see* **lassen**
der **Lift, –s, –e**, elevator
die **Linie, –, –n**, line
link, left
die **Lippe, –, –n**, lip
der **Liter, –s, –**, (less than a) quart
loben, praise
das **Loch, –s, ⸚er**, hole
das **Lokal, –s, –e**, hall, place
los, away, off; —! let's go! **was ist —?** what's the matter?
sich **lösen**, melt, be released
los-fahren, pull out
los-gehen, get busy, start
los-jagen, drive off at full speed
los-lassen, let go
los-pfeifen, shriek
los-reißen, tear free
los-werden, get rid of
los-ziehen, get away
die **Luft, –, ⸚e**, air
lüften, lift
der **Lügner, –s, –**, liar
die **Lust, –, ⸚e**, desire
das **Luxusgefährt, –s, –e**, de luxe car

M

machen, do, make, say; **sich nichts draus —**, not care
mächtig, huge, mighty, powerful, very much
machtvoll, powerful
das **Mädchen, –s, –**, girl
mag, *see* **mögen**
mager, thin
die **Mähne, –, –n**, mane, mop of hair
mahnen, warn
majestätisch, majestic
mal: sag —, just say
das **Mal, –s, –e**, time
manchmal, often, sometimes
der **Mantel, –s, ⸚**, coat
die **Mappe, –, –n**, portfolio
markig, vigorous
der **Märznebel, –s, –**, March mist
das **Maschinengewehrfeuer, –s**, machine-gun fire
die **Mäßigkeit, –**, moderation
mattblau, soft blue
das **Meer, –s, –e**, sea
mehr, more; **nicht —**, no longer
mehreremale, several times
meinen, mean, say, think
meinetwegen, as far as I am concerned
die **Meinung, –, –en**, opinion
meist, most; —**ens**, mostly
melden, report; **zum Rennen —**, enter for the race; **sich —**, answer (telephone)
die **Menge, –, –n**, lot (of things), crowd
der **Mensch, –en, –en**, human being, person; (*pl.*), people
menschlich, human
merken, notice, observe, see
merkwürdig, remarkable, strange
das **Messer, –s, –**, knife
das **Messingschild, –s, –er**, brass plate
die **Miene, –, –n**, expression
die **Miete, –, –n**, rent; **zur — wohnen**, live as a tenant

milde, mild
das **Militär**, –s, military (man)
der **Militärstiefel**, –s, –, military boot
das **Miniaturformat**, –s, –e, miniature size
mißmutig, ill-humored
mißvergnügt, displeased
mit-bringen, bring along
mit-fahren, drive with
mitflutend, accompanying
mit-geben, lend
mitleidig, pitying
mit-machen, join in
mit-schreiben, take notes
das **Mittagessen**, –s, –, lunch
mittags, at noon
die **Mitte**, –, –n, middle
das **Mittel**, –s, –, method
das **Mittelding**, –s, –e, cross, mixture
mitten (auf), in the middle of
mit-zählen, keep count
das **Möbel**, –s, –, piece of furniture
mochte, *see* **mögen**
möchte, should like, might (*see* **mögen**)
mögen, care for, like, may, might
möglich, possible
die **Möglichkeit**, –, –en, possibility
der **Monat**, –s, –e, month
der **Mond**, –s, –e, moon
der **Monteur**, –s, –e, mechanic
montieren, put on
morgen, tomorrow; **—s**, in the morning
der **Motorfachmann**, –s, **Motorfachleute**, motor expert
die **Motorhaube**, –, –n, hood
die **Möwe**, –, –n, sea gull
müde, tired
die **Mühe**, –, –n, difficulty, trouble
die **Mulattin**, –, –nen, mulatto woman
die **Mulde**, –, –n, hollow
der **Mund**, –s, –e, mouth
mürrisch, sullen, ill-humored
die **Muschel**, –, –n, earpiece
der **Muskel**, –s, –n, muscle
mustern, examine
der **Mut**, –s, courage
mütterlich, maternal
die **Mütze**, –, –n, cap

N

'n = einen
na, well
nachdem, after
nach-denken, ponder, reflect
nachdrücklich, emphatic
nachher, afterwards
nach-kommen, come on, follow
nachlässig, casual, nonchalant
nach-machen, imitate
der **Nachmittag**, –s, –e, afternoon; **heute —**, this afternoon
nachmittags, in the afternoon
nach-schlagen, consult (in a book), look up
nach-sehen, look at
nächst, next; **am —en**, nearest
die **Nacht**, –, ⁼e, night
die **Nachttischlampe**, –, –n, night light
der **Nacken**, –s, –, back of the neck
die **Nadel**, –, –n, needle
nahe, near, close
der **Name(n)**, –ns, –n, name
Napoli, Naples
die **Narbe**, –, –n, scar
die **Nase**, –, –n, nose
naß, wet
natürlich, of course
der **Nebel**, –s, –, mist
neb(e)lig, foggy, misty
neben, beside
nebenan, alongside
nebeneinander, side by side
nehmen, take; **sich in acht —**, be careful
neu, new
neugierig, inquisitive
neulich, just now, recent
nicken, nod

nie, never; **—mals**, never
niedrig, low
niemand, nobody
nippen, sip
nirgendwo, nowhere
noch, still, yet; **— ein**, another; **— einmal**, again
nochmals, again, once more
der **Norden**, **–s**, north
die **Nummer**, **–**, **–n**, number
nur, only; **— so**, simply
nutzen, be of use; **es nutzte nichts**, it was no use

O

ob, if, whether
oben, above, up there; **von — herab**, condescendingly
oberflächlich, superficial
der **Oberstleutnant**, **–s**, **–e**, lieutenant-colonel
obschon, although
der **Ofen**, **–s**, **⸚**, stove
offen, open
öffnen, open
öfter, often
ohne, without
ohnehin, without this
das **Ohr**, **–es**, **–en**, ear
die **Ölwäsche**, **–**, **–n**, oil bath
der **Operationssaal**, **–s**, **–säle**, operating room
das **Opfer**, **–s**, **–**, victim
ordenbedeckt, covered with decorations
ordentlich, proper
die **Ordnung**, **–**, **–en**, order

P

das **Paar**, **–es**, **–e**, pair
ein **paar**, a few
der **Pack**, **–s**, **⸚e**, pile
packen, pack, seize
der **Packesel**, **–s**, **–**, pack mule
der **Packwagen**, **–s**, **–**, baggage car
das **Paket**, **–s**, **–e**, package
der **Parkplatz**, **–es**, **⸚e**, parking space
der **Parkwächter**, **–s**, **–**, park attendant
passen, fit, suit; **— zu**, be suitable for
passieren, happen, pass
pastellfarben, pastel-tinted
die **Pelzjacke**, **–**, **–n**, fur jacket
die **Pension**, **–**, **–en**, boarding house
pensioniert, retired
die **Perlmutter**, **–**, mother-of-pearl
perplex, perplexed
persönlich, personal, in person
der **Pfarrer**, **–s**, **–**, priest
der **Pfau**, **–s**, **–en**, peacock
pfeifen, whistle
das **Pferd**, **–s**, **–e**, horse
pfiff, *see* **pfeifen**
das **Pflaster**, **–s**, **–**, pavement
der **Pflaumenbaum**, **–s**, **⸚e**, plum tree
der **Pfirsichbaum**, **–s**, **⸚e**, peach tree
der **Pfirsichgeruch**, **–s**, **⸚e**, peach smell
pflücken, pick
der **Pfosten**, **–s**, **–**, post
planlos, planless, without a plan
die **Platte**, **–**, **–n**, plate, flat top, graphophone record
der **Plättkniff**, **–s**, **–e**, crease (from ironing)
der **Platz**, **–es**, **⸚e**, place, seat, square
plaudern, chat
pleite, bankrupt, "broke"
plötzlich, sudden
plump, clumsy
die **Poesie**, **–**, poetry
polieren, polish
politisch, political
die **Polizei**, **–**, **–en**, police
der **Polizist**, **–en**, **–en**, policeman
pompös, pompous
das **Portal**, **–s**, **–e**, porch
das **Portemonnaie** (*Fr.*), **–s**, **–s**, pocketbook
der **Portier**, **–s**, **–s**, doorman

die **Post**, –, post office
der **Postschalter**, –s, –, post-office window
prachtvoll, fine, splendid
prahlen, strut
prämiert, awarded a prize
prasselnd, rattling
der **Preis**, –es, –e, price
der **Prellbock**, –s, ⁼e, buffer
probieren, try
prost! your health!
die **Puderdose**, –, –n, powder compact

Q

quaken, croak
der **Qualm**, –s, –e, fumes, smoke
quarren, whine
der **Quatsch**, –es, –e, nonsense
quatschen, talk foolishly
quietschen, creak, squeak
quoll . . . hervor, *see* **hervorquellen**

R

rachitisch, rickety
das **Rad**, –s, ⁼er, wheel
die **Radiozeitschrift**, –, –en, radio magazine
ragen, tower
der **Raglan**, –s, –s, sport coat
der **Rahmen**, –s, –, frame
die **Rakete**, –, –n, rocket
ran = heran, come on!
der **Rand**, –s, ⁼er, edge
rasch, quick, rapid
rasen, race
das **Rasenstück**, –s, –e, strip of grass
sich **rasieren**, shave
rasseln, rattle
ratlos, perplexed
der **Rauch**, –s, smoke
rauchen, smoke
die **Räucherwurst**, –, ⁼e, smoked sausage
die **Rauchfahne**, –, –n, streamer of smoke
rauh, hoarse
der **Raum**, –s, room, space
das **Raunen**, –s, whispering
raus = heraus, out
rauschen, roar, swirl
raus-fahren, drive out
raus-kommen, come out of it
rechnen, reckon
die **Rechnung**, –, –en, bill; — **machen**, settle accounts
der **Rechnungsrat**, –s, accountant
recht, right, real, very; **mir war es —**, it suited me
das **Recht**, –s, –e, right
rechts, to the right, right; **scharf — stehen**, be at the extreme right, be very conservative
rechtzeitig, in good time
reden, talk
der **Redner**, –s, –, talker
regelmäßig, regular
der **Regen**, –s, rain
regnen, rain
reiben, rub
reich, rich
reichen, be sufficient, hold out, pass
reichlich, fully, quite
reif, mature, ripe
der **Reifen**, –s, –, tire
rein = herein, in
rein-geben, throw in
reisen, go, travel
reißen, pull
der **Reklamchef**, –s, –s, advertising manager
die **Reklamenachricht**, –s, –en, advertising announcement
das **Rennen**, –s, racing; **— fahren**, drive in races; **zum — melden**, enter for the race
der **Rennfahrer**, –s, –, racing driver
die **Rennfahrerimitation**, –, imitation racing driver
das **Rennfieber**, –s, –, racing fever
der **Rennwagen**, –s, –, racing car
die **Reparatur**, –, –en, repair
der **Rest**, –s, –e, remainder

das **Rettungsseil, –s, –e,** life belt (rope)
die **Revanche, –,** revenge
der **Revolverschuß, –(ss)es, ⸗(ss)e,** revolver shot
das **Rezept, –s, –e,** recipe
richtig, correct, right; **was Richtiges,** a bit of all right
die **Richtung, –, –en,** direction
riechen, smell
rieseln, trickle (rain)
riesig, enormous
das **Rippchen, –s, –,** chop
die **Rippe, –, –n,** rib
riß . . . auf, *see* **auf-reißen;** — **. . . aus,** *see* **aus-reißen;** — **. . . los,** *see* **los-reißen**
der **Riß, –(ss)es, –(ss)e,** crack
roch, *see* **riechen**
röcheln, choke, gurgle
der **Rock, –s, ⸗e,** coat, skirt
röhren, blow, sound
die **Romantik, –,** romance
der **Romantiker, –s, –: der letzte —,** the last of the romantics
das **Röntgenbild, –s, –er,** X-ray plate
rot, red
rötlich, reddish
rubinfarben, ruby-colored
rubinrot, ruby-red
der **Ruck, –s, –e,** jerk
rücken, move
der **Ruf, –s, –e,** shout
rufen, call; **— lassen,** send for
die **Ruhe, –,** peace, rest
ruhig, calm, quiet
sich **rühren,** move
der **Rumdunst, –es, ⸗e,** smell of rum
der **Rumtreiber, –s, –,** rum hound; = **Herumtreiber,** gadabout
runter = **darunter,** gone (down)
ruppig, shabby
rutschen, skid, slide

S

der **Saal, –s, Säle,** hall, room
die **Saalschlacht, –, –en,** hall fight
die **Sache, –, –n,** affair, matter, thing
sachlich, matter-of-fact
die **Sachlichkeit, –,** realism
der **Salon, –s, –s,** sitting room
Salute! greetings! your health!
das **Salz, –es,** salt
salzig, salty
die **Salzmandel, –, –n,** salted almond
sich **sammeln,** gather
der **Samt, –es, –e,** satin
der **Sandweg, –s, –e,** sandy path
sanft, gentle
der **Sanitäter, –s, –,** orderly
der **Sarg, –s, ⸗e,** coffin
saß, *see* **sitzen**
der **Satz, –es, ⸗e,** sentence, movement (music)
der **Säufer, –s, –,** drunkard
die **Sauferei, –,** boozing, drinking
säuferisch, drunken
das **Sausen, –s,** humming
die **Schachtel, –, –n,** package
schade, a pity, too bad
der **Schädel, –s, –,** head
der **Schaffner, –s, –,** conductor
der **Schafskopf, –s, ⸗e,** blockhead
die **Schale, –, –n,** basin, dish
das **Schaltbrett, –s, –er,** instrument board
schalten, change gears
scharf, sharp, abrupt
das **Scharren, –s,** scraping
der **Schatten, –s, –,** shadow
schauen, look
der **Schauer, –s, –,** shower
schauern, shiver
die **Schaufel, –, –n,** shovel
das **Schaufenster, –s, –,** shop window
der **Schein, –s, –e,** glow, note (money)
scheinbar, apparent, evident
scheinen, shine, seem
der **Scheinwerfer, –s, –,** headlight
schenken, fill, pour out, give
der **Schenker, –s, –,** donor, giver

sich **scheren**, run away
die **Scheu**, –, shyness
scheuen, shy
schieben, push, shove
schief, crooked
schielen, glance sideways
schießen, shoot
die **Schießerei**, –, **–en**, shooting
das **Schild**, **–s**, **–e**, placard, visor (of a cap)
der **Schimmel**, **–s**, **–**, white horse
der **Schimmer**, **–s**, **–**, sheen
schlafen, sleep
schlaff, limp
das **Schlafmittel**, **–s**, **–**, sedative, sleeping powder
der **Schlafwagen**, **–s**, **–**, sleeping car
der **Schlag**, **–s**, **⸚e**, blow, noise, stroke (of apoplexy); **mit einem —e**, all at once
schlagen, beat, hit
die **Schlägerei**, –, **–en**, brawl, fight
schlank, slim
schlecht, bad
schleichen, crawl, creep
der **Schleier**, **–s**, **–**, veil
schlendern, stroll
schlich, *see* **schleichen**
schließlich, finally
schlimm, bad
der **Schlips**, **–es**, **–e**, necktie
der **Schlitten**, **–s**, **–**, sleigh (automobile)
schloß . . . an, *see* **an-schließen**
schlug, *see* **schlagen**; — **. . . auf**, *see* **auf-schlagen**
schlurfen, shuffle
der **Schluß**, –(ss)es, ⸚(ss)e, conclusion, end; — **machen**, stop
der **Schlüssel**, **–s**, **–**, key
schmal, dainty, narrow, slender, slim
schmecken, taste good; — **nach**, taste of
schmetternd, crashing
der **Schmiedehammer**, **–s**, **⸚**, sledge hammer
schmieren, grease
der **Schmiß**, **–(ss)es**, **–(ss)e**, punch; **letzten —**, last touch
schmunzeln, grin, smile
der **Schmutz**, **–es**, dirt
schmutzig, dirty
der **Schnabel**, **–s**, **⸚**, beak, **mouth**; **halt den —**, shut up!
schnappen, snap up
der **Schnaps**, **–es**, **⸚e**, (glass of) brandy
die **Schnapsdrossel**, **–**, **–n**, schnaps drinker (thrush)
das **Schnarren**, rattling (noise)
schnaufend, puffing
der **Schnauzbart**, **–s**, **⸚e**, mustache, man with a mustache, old soldier
die **Schneekette**, **–**, **–n**, snow chain
schneeweiß, snow-white
schneien, snow
schnell, fast
der **Schnellgang**, **–s**, **⸚e**, good pick-up
schnob . . . entlang *see* **entlang-schnauben**
die **Schokolade**, **–**, **–n**, chocolate
schon, already; **das —**, easily
schön, beautiful, fine, nice
die **Schönheit**, **–**, **–en**, beauty
die **Schönheitscreme**, **–**, beauty cream
der **Schopf**, **–es**, **⸚e**, thatch
schoß, *see* **schießen**
schräg, oblique, slanting; **aus —en Augen**, sideways
das **Schränkchen**, **–s**, **–**, small cupboard
schreckhaft, easily shocked
schrecklich, terrible
der **Schreibtisch**, **–es**, **–e**, desk
schreien, shout
der **Schritt**, **–s**, **–e**, step
der **Schüler**, **–s**, **–**, pupil
die **Schulter**, **–**, **–n**, shoulder
der **Schupo**, **–s**, **–s**, policeman, "cop"; **die —**, police force
der **Schuß**, **–ss(es)**, **⸚(ss)e**, shot

die **Schüssel, –, –n,** basin, dish
schütteln, shake
schwach, weak
die **Schwäche, –, –n,** weakness
der **Schwall, –es,** swell
schwand, *see* **schwinden**
schwanken, sway
schwarz, black
die **Schwarzfahrt, –, –en,** "joy" ride (without the owner's consent)
die **Schwarzwälderuhr, –, –en,** Black Forest clock, cuckoo clock
schwätzen, chatter, gossip
schweben, float
schweigen, be silent
das **Schweigen, –s,** silence
das **Schweinerippchen, –s, –,** pork chop
schwellen, swell
schwer, heavy, difficult, with difficulty
schwerverletzt, badly hurt
die **Schwester, –, –n,** sister, nurse
schwierig, difficult
der **Schwindel, –s, –,** deception, fraud
schwindeln, cheat
schwinden, disappear
schwoll, *see* **schwellen**
der **Schwung, –es, ¨e,** swing
das **Segel, –s, –,** sail
die **Sehnsucht, –,** longing
seidig, silky
seinerzeit, at one time
die **Seite, –, –n,** side
der **Seitengang, –s, ¨e,** side entrance
seitlich, to one side
selb(e), same
selbst: sich —, self
selbstbewußt, self-conscious
selbstverständlich, of course
selbstzufrieden, satisfied with oneself
selig, happy, late(ly departed)
seltsam, strange
seriös, serious
die **Serpentine, –, –n,** winding road
die **Serviette, –, –n,** napkin
Servus! so long! (Austrian greeting)
der **Sessel, –s, –,** armchair; die **—lehne, –, –n,** back of chair
sich **setzen,** sit down
sicher, safe, sure
die **Sicherheit, –,** assurance, certainty
sicherlich, evidently
die **Sicht, –, –en,** sight, course
siegessicher, sure of victory
siegreich, triumphant, victorious
silbern, silver
die **Silberplatte, –, –n,** silver dish
der **Sinn, –s, –e,** sense, realization
sinnlos, senseless
der **Sitz, –es, –e,** seat
sitzen, sit
die **Skala, –, Skalen,** dial
das **Skiding** (*pronounce* **Ski,** *schi*), **–s, –e,** ski thing
die **Skier** (*pl.*), skis
das **Skifahren, –s,** skiing
der **Skiläufer, –s, –,** skier
sofort, at once
sogar, even
das **Soldatenlied, –s, –er,** soldiers' song
sollen, shall, ought, be said to, be supposed to
die **Sommersprosse, –, –n,** freckle
sommersprossig, freckled
sonderbar, strange
die **Sonne, –, –n,** sun
sonnig, sunny
der **Sonntagsanzug, –s, ¨e,** Sunday clothes
sonst, or else, otherwise, at other times; **als —,** than usual; **wie —,** as usual
die **Sorge, –, –n,** care, worry; **ohne —!** don't worry! **— haben,** be anxious
soviel, so much (many)

sowas, such things
soweit, as far (as)
sowie, when
die **Spannung,** –, tension
sparen, save
der **Spaß, –es, ⸚e,** fun
spät, late
spätestens, at the latest
spazieren-fahren, take a ride
die **Spazierfahrt,** –, **–en,** ride
der **Speckjäger,** –s, –, blubber-sticker
der **Speisesaal,** –s, **–säle,** dining room
der **Speisewagen,** –s, –, dining car
der **Spiegel,** –s, –, mirror
das **Spiel,** –s, –e, pack of cards
der **Spirituskocher,** –s, –, alcohol burner
die **Spitze,** –, –n, head
splittern, splinter
der **Sportgeist,** –s, –er, sporting spirit
der **Spott,** –es, mockery
spöttisch, scornful
der **Spottpreis,** –es, –e, ridiculous price
die **Sprache,** –, –n, speech
der **Sprechzimmer,** –s, –, consulting room
sprengen, break up, tear up, sprinkle, water
spritzen, spout
die **Sprotte,** –, –n, sprat (herring)
der **Sprung,** –es, ⸚e, bound, leap
die **Spur,** –, –en, trace; **keine** —, not in the least
spüren, feel
der **Stabsoffizier,** –s, –e, staff officer
die **Stadt,** –, ⸚e, city, town
städtisch, municipal
die **Stadtverwaltung,** –, city council
der **Stammbaum,** –s, ⸚e, pedigree
der **Stammgast,** –s, ⸚e, regular guest
stammen, originate
stand, *see* **stehen**
starb, *see* **sterben**
stark, strong, heavy
starren, stare, be stiff
die **Stationsschwester,** –, **–n,** ward nurse
statt, instead of
die **Staubbrille,** –, **–n,** goggles
staunen, be surprised
stecken, be, lie hidden, put; — **bleiben,** stick
stehen, stand, stop; — **bleiben,** stop
steif, stiff
steil, steep
stellen, place
stemmen, set, support
sterben, die
der **Stern,** –s, –e, star
stets, always
die **Steuer,** –, –n, tax
das **Steuer(rad),** –s, ⸚er, wheel
stiegen . . . ein, *see* **ein-steigen**
stieren, stare vacantly
stieß, *see* **stoßen;** — **. . . beiseite,** *see* **beiseite-stoßen;** — **. . . hervor,** *see* **hervor-stoßen**
der **Stillstand,** –s, halt, stop
die **Stimme,** –, –n, voice; **dunkle** —, deep voice
stimmen, be right
die **Stimmung,** –, humor
die **Stirn,** –, –en, forehead
der **Stock,** –s, ⸚e, floor, story
stocksteif, stockstill
stöhnen, groan
stolz, proud
der **Stolz,** –es, pride
stören, disturb, trouble
der **Stoß,** –es, ⸚e, gust
stoßen, push
der **Stoßtrupp,** –s, –s, storm troop
stottern, stutter
strahlen, gleam; **—d,** radiant
die **Strahlung,** –, –en, radiance
der **Strand,** –es, –e, beach
die **Straße,** –, –n, street, road
die **Strecke,** –, –n, stretch (of road)
das **Streichholz,** –es, ⸚er, match

das **Streichquartett, -s, -e,** string quartette
streifen, graze, touch, pass over, survey
der **Strich, -s, -e,** beam, line
strich . . . ein, *see* **ein-streichen; — . . . vorbei,** *see* **vorbei-streichen**
strohblond, straw-colored
das **Strohdach, -s, ⸚er,** thatched roof
der **Strom, -s, ⸚e,** stream
der **Strumpf, -es, ⸚e,** sock
die **Stube, -, -n,** room
stubenrein, housebroken
das **Stück, -s, -e,** piece, short distance, specimen
die **Studienzeit, -,** student days
die **Stufe, -, -n,** level
stumm, silent
stumpf, dull, pointless
die **Stunde, -, -n,** hour
stürmen, charge, storm
stürmisch, impetuous, stormy
der **Sturzbach, -s, ⸚e,** torrent
stürzen, dash, plunge, rush
die **Sturzflut, -, -en,** deluge
suchen, look for
der **Süden, -s,** south
südlich, southern
summen, buzz, hum
süß, sweet

T

der **Tachometer, -s, -,** speedometer
tadellos, excellent, perfect
der **Tag, -es, -e,** day
täglich, daily
tagsüber, during the day
der **Takt, -es, -e,** measure
das **Tal, -s, ⸚er,** valley
die **Talmulde, -, -n,** hollow valley
die **Tändelschürze, -, -n,** fancy apron
tanken, fill up (with gas)
die **Tanne, -, -n,** fir tree
der **Tanz, -es, ⸚e,** dance
tapfer, brave
täppisch, clumsy
die **Tasche, -, -n,** pocket, bag
das **Taschentuch, -s, ⸚er,** handkerchief
die **Taschenuhr, -, -en,** watch
die **Tasse, -, -n,** cup
tat, *see* **tun**
der **Täter, -s, -,** culprit
tatsächlich, actual, real
die **Tatze, -, -n,** hand, paw
taub, deaf, numb
tauchen, dip, plunge
der **Teil, -s, -e,** part
das **Tempo, -s,** speed
der **Teppich, -s, -e,** carpet
teuer, expensive
das **Theater, -s, -,** performance
die **Theke, -, -n,** bar, counter
thronen, sit enthroned
tief, deep
das **Tier, -s, -e,** animal
der **Tisch, -es, -e,** table
die **Tischdecke, -, -n,** table cover
die **Tischplatte, -, -n,** table top
toben, rage
die **Todesangst, -,** fear of death
der **Todkranke, -n, -n,** incurable
die **Tonvase, -, -n,** pottery vase
das **Tor, -s, -e,** gate
torkeln, reel
tot, dead
totmüde, dead tired
traf, *see* **treffen**
die **Tragbahre, -, -n,** stretcher
träge, lazy
tragen, carry, wear
die **Träne, -, -n,** tear
trat, *see* **treten**
die **Traube, -, -n,** bunch of grapes
trauen, trust
der **Trauerbolzen, -s,** "sad job"
der **Traum, -s, ⸚e,** dream
träumerisch, dreamy
traurig, sad
treffen, meet, strike; **es gut —,** strike it lucky; **sich —,** coincide

der **Treffpunkt, –, –e,** meeting place
treiben, drift, drive, push; **vor sich her —,** drive ahead of it
trennen, separate
die **Treppe, –, –n,** stair, step
die **Treppenbeleuchtung, –,** stair lighting
treten, step
die **Trinkerei, –,** drinking
trocken, dry
tropfen, drip
der **Tropfen, –s, –,** drop
der **Trost, –es,** comfort
sich **trösten,** console oneself
der **Trottel, –s, –,** dunce, fool
trotz, in spite of; **—dem,** all the same
trübe, dull, gloomy
trug, *see* **tragen**
die **Truppe, –, –n,** troupe
das **Tuch, –s, ⸚er,** cloth
tüchtig, capable, clever
tun, do, act
die **Tür, –, –en,** door
typisch, typical

U

übel, wrong; **es — nehmen,** take it amiss
üben, practice
überall, everywhere
das **Überfallauto, –s, –s,** police car
überfluten, inundate, flood
überfüllt, overflowing
übergeben, hand over
übergeschnappt, had too much alcohol
das **Übergewicht, –s,** upper hand
überhaupt, anyhow, at all, altogether
überhitzt, overheated
überholen, overhaul
die **Überlandtour, –, –en,** cross-country tour
überlang, a bit long
überleben, survive
überlegen, consider; **anders —,** reconsider
übermorgen, day after tomorrow
überraschen, surprise
die **Überraschung, –, –en,** surprise
überrumpeln, surprise
übersät, sprinkled
überstehen, get through
übertreten, overdone
überwältigt, overcome
überwinden, overcome
übrig, left over, remaining; **—ens,** moreover
ein **Übriges,** something unnecessary
die **Übung, –, –en,** practice
die **Übungswiese, –, –n,** practice field
die **Uhr, –, –en,** clock, watch, o'clock
sich **um-drehen,** turn around
um-fallen, fall over
umfassen, take in
der **Umgang, –s, ⸚e,** association
umher-liegen, lie around
sich **umher-treiben,** wander about
umher-wandern, wander about
um-kehren, turn around
um-klammern, clutch, grip
der **Umschlag, –s, ⸚e,** cover, envelope
um-schmeißen, smash
sich **um-sehen,** look around
umso: — besser, so much the better; **— schlimmer,** so much the worse
sich **um-wenden,** turn around
um-werfen, give up
um-ziehen, change; **sich —,** change one's clothes
unaufhaltsam, irresistible, not to be stopped
unbedingt, absolutely
unbefangen, with ease
unbekannt, unknown
unbekümmert, unconcerned
unberechenbar, unpredictable
unbeschreiblich, indescribable
unbestimmt, uncertain
unbrauchbar, useless

unerbittlich, inexorable
unerschöpflich, inexhaustible
unerträglich, unbearable, intolerable
die Unfallstelle, –, –n, emergency station
unfreundlich, rough
der Unfug, –s, mischief; — machen, behave badly
ungarisch, Hungarian
ungeduldig, impatient
ungefähr, about, approximate
ungeheuer, enormous
ungerührt, unmoved
ungewöhnlich, unusual
ungewohnt, unaccustomed
das Unglück, –s, accident
der Unglücksvogel, –s, ⸚, bird of ill omen
unhörbar, inaudible
unmerklich, imperceptible
unmöglich, impossible
unnütz, useless
unruhig, restless
unscheinbar, unpretentious
unschlüssig, undecided
unschuldig, innocent
unsicher, unsure
der Unsinn, –s, nonsense
untätig, idle, inactive
unten, below; von — herauf, from head to foot
unterbrechen, break, interrupt
unterdessen, meanwhile
unter-gehen, go down, set
sich unterhalten, converse
unter-kommen, find shelter
die Unternährung, –, undernourishment
unternehmen, undertake
unterscheiden, distinguish
der Unterschlupf, –es, ⸚e, shelter
untersuchen, examine
unterwegs, on the way
unterziehen, subject to
ununterbrochen, uninterrupted
unvermutet, unexpectedly
unvernünftig, unreasonable
unverwandt, fixedly
unvorsichtig, not careful
unwahrscheinlich, incredible
unwiederbringlich, irretrievable
unwillkürlich, involuntary
unwirklich, unreal
die Unzufriedenheit, –, discontent
der Urlaub, –s, leave, vacation

V

väterlich, paternal
verabreden, agree upon, make an appointment
die Verabredung, –, –en, appointment
sich verabschieden, take leave of
verachtungsvoll, scornful
verändern, change
die Verantwortung, –, responsibility
das Verbandszeug, –s, –e, material for bandages
verbergen, conceal
sich verbeugen, bow
die Verbeugung, –, –en, bow
die Verbindung, –, –en, connection, telephone call
verblichen, faded
verblüfft, disconcerted, puzzled
verbrauchen, use up
sich verbreiten, spread
verbringen, spend
verdächtig, suspicious
verdammt, damned
das Verdeck, –s, –e, top
verdienen, earn, make a profit
der Verdienst, –es, –e, earnings
verdursten, die of thirst
verdutzt, puzzled
vereist, icy
sich verengen, grow narrow
die Verfärbung, –, coloring
verfassen, compose
verfault, putrefied, rotten
verfluchen, curse
verflucht! curses!
verfolgen, persecute, plague
vergebens, in vain

vergessen, forget
das **Vergleich, –es, –e**, comparison
das **Vergnügen, –s**, pleasure
vergnügt, delighted
sich **vergreifen (an)**, steal
die **Verhaftung, –**, arrest
sich **verheddern**, get jammed
verhext, bewitched, enchanted
das **Verhör, –s, –e**, cross-examination
verkapseln, encapsule
die **Verkapselung, –**, encystment
der **Verkauf, –s, –̈e**, sale
verkaufen, sell
verkehren, be a frequent visitor
das **Verkehrsmuseum, –s, –museen**, transportation museum
der **Verkehrsposten, –s, –**, traffic policeman
verklärt, beaming (with delight)
sich **verkneifen**, deny oneself
verkünden, announce
verkürzen, shorten
verlangen, ask for
verlassen, leave; **sich darauf —**, rely on it
verlegen (*adj.*), embarrassed; (*vb.*), postpone
verleiten, induce, mislead
verletzen, hurt, injure
verliebt, in love with
veriieren, lose
sich **vermehren**, multiply
vermeiden, avoid
vermieten, rent
vermuten, suppose
vernehmen, hear
vernünftig, reasonable, sensible
verpflichten, bind, place a duty upon
verraten, betray
verrostet, rusty
verrückt, crazy
die **Versammlung, –, –en**, meeting
das **Versammlungslokal, –s, –e**, meeting place
versank, *see* **versinken**
sich **verschatten (tief)**, be deep with shadows
verschieben, postpone
verschieden, different
verschlafen, asleep, sleepy
die **Verschlimmerung, –, –en**, change for the worse
die **Verschlußmarke, –, –n**, seal
verschwimmen, grow hazy
verschwinden, disappear
versinken, sink, vanish
versöhnlich, conciliatory
sich **verspäten**, come late
versprechen, promise
verstand, *see* **verstehen**
das **Verständnis, –(ss)es, –(ss)e**, understanding
verständnislos, uncomprehending
verstauen, load, stow away
verstehen, understand
versuchen, attempt, try
vertragen, carry, endure
vertraut, familiar
vervollständigen, complete
verwandeln, change, transform
die **Verwechslung, –, –en**, mistake
verwickelt, complicated
verwirren, bewilder, confuse
die **Verwirrung, –**, confusion
verwohnt, shabby
verwundert, astonished
verzerrt, distorted, twisted
verzichten (auf), renounce, give up
verziehen, twist
verzweifelt, desperate
vielleicht, perhaps
der **Vogelflügel, –s, –**, bird's wing
das **Volk, –s, –̈er**, people
voll, full
das **Vollgas, –es: — geben**, "open her up"
völlig, complete
vollkommen, complete
vollständig, complete, entire
vor: — sich hin, before him
voran-tragen, carry in advance
voraus, beforehand
vorbei, over, past

sich **vorbei-drehen,** revolve past
sich **vorbei-drücken,** urge past
vorbei-kommen, get by, pass
vorbei-lassen, let pass
vorbei-streichen, sweep past
vorbereiten, prepare
vor-beugen, bend *or* lean forward
der **Vordersitz, –es, –e,** front seat
vorderst, foremost
der **Vorgesetzte, –n, –n,** superior officer
vor-haben, have in mind, plan
der **Vorhang, –s, ⸗e,** curtain
vorher, before
vorhin, just now
vorig, last, previous
vor-kommen, happen, seem
vor-lesen, read aloud
vor-machen, show how to do
der **Vorname, –ns, –n,** first name
sich **vor-nehmen,** resolve
der **Vorort, –s, –e,** suburb
der **Vorplatz, –es, ⸗e,** landing, passage
vor-rücken, move ahead
der **Vorschlag, –s, ⸗e,** suggestion
vor-schlagen, offer, suggest
die **Vorsicht, –,** precaution; **—!** careful!
vorsichtig, careful, cautious
vor-spielen, play for (a person)
der **Vorsprung, –s, ⸗e,** start
vorstehend, projecting
sich **vor-stellen,** imagine
der **Vorteil, –s, –e,** advantage
vorüber-gehen, pass
vorüber-gleiten, glide
vorüber-ziehen, move by
der **Vorwand, –s, ⸗e,** pretext
vor-zeigen, expose, produce, show
das **Vorzimmer, –s, –,** antechamber

W

wach, awake
wagen, dare
der **Wagen, –s, –,** car (automobile)
wählen, choose
wahr, true, real
während, while, during
wahrhaftig, really
die **Wahrheit, –, –en,** truth
wahrscheinlich, probable
die **Wahrung, –,** quality, value
der **Wald, –es, ⸗er,** woods, forest
die **Waldlichtung, –, –en,** clearing
die **Waldsteinsonate, –, –n,** Waldstein sonata
die **Wand, –, ⸗e,** wall
die **Wange, –, –n,** cheek
wanken, yield
warf, *see* **werfen**
die **Wärme, –,** warmth
warten, wait
das **Wartezimmer, –s, –,** waiting room
warum, why
was = **etwas; — anderes,** something different
waschen, wash
die **Watte, –, –n,** cotton wadding
wechseln, alternate, exchange
wedeln, brush, whisk
weg, away, off
wegen, on account of
weg-pusten, blow away
weg-tragen, carry away
wehen, blow, wave, flap
sich **wehren,** resist
weich, soft
weil, because
die **Weile, –, –n,** while
weinen, cry, weep
die **Weise, –, –n,** manner
weiß, white
weiß (*vb.*), *see* **wissen**
weissagen, foretell
weit, distant, far; **von —em,** from a distance
die **Weite, –, –n,** distance
weiter, further; **ohne —es,** without further ado
weiter-führen, carry on
die **Welle, –, –n,** wave
die **Welt, –, –en,** world
die **Weltlage, –,** world situation

sich **wenden**, turn
wenig, little
wenigstens, at least
wenn, if, when; — **auch**, even if
werfen, throw
die **Werkstatt, –es, ⸚e**, workshop
wert, worth
das **Wesen**, creature
weshalb, why
die **Wespe, –, –n**, wasp
das **Wetter, –s, –**, weather
die **Wetterdienststelle, –, –n**, weather bureau
wich . . . zurück, *see* **zurückweichen**
wichtig, important
der **Widerstand, –s, ⸚e**, resistance
widerstehen, resist
widerstrebend, reluctantly
wieder, again
wieder-erkennen, recognize again
wiederholen, repeat
die **Wiese, –, –n**, meadow
der **Wille, –ns, –n**, will; **beim besten Willen**, with the best intentions
die **Windel**: **in — liegen**, be in baby clothes
windig, giddy
die **Windjacke, –, –n**, wind jacket
winken, beckon, signal, wave
wirbelig, giddy
wirken, have an effect
wirklich, real
die **Wirklichkeit, –, –en**, reality
der **Wirt, –s, –e**, proprietor
die **Wirtin, –, –nen**, hostess, landlady
das **Wirtshaus, –es, ⸚er**, inn
die **Wirtsstube, –, –n**, inn parlor
wischen, wipe, sweep
wissen, know
der **Wissenschaftler, –s, –**, scientist
die **Woche, –, –n**, week
wogen, heave
woher, whence, how
wohl, well, probably
wohlwollend, benevolent
wohnen, live; **zur Miete —**, live as a tenant
die **Wohnung, –, –en**, home, residence
die **Wolke, –, –n**, cloud
die **Wolle, –**, wool
das **Wort, –es, ⸚er**, word, saying
wozu, why, for what
die **Wunde, –, –n**, wound
das **Wunder, –s, –**, miracle
wunderbar, wonderful
wünschen, wish
würdig, dignified, worthy
die **Wurst, –, ⸚e**, sausage
wusch, *see* **waschen**
wußte, *see* **wissen**
wüst, dilapidated
die **Wut, –**, rage

Z

die **Zahl, –, –en**, figure, number
zählen, count
der **Zahn, –s, ⸚e**, tooth
die **Zahnbürste, –, –n**, toothbrush
zart, soft
zärtlich, tender
der **Zaunpfahl, –s, ⸚e**, fence stake; **mit dem — winken**, give a broad hint
das **Zeichen, –s, –**, signal
zeichnen, trace out
zeigen, show, point out
die **Zeit, –, –en**, time
das **Zeitalter, –s**, age, period
zeitgemäß, in keeping with the times
eine **Zeitlang**, for a while
die **Zeitschrift, –, –en**, magazine
die **Zeitung, –, –en**, newspaper
zerbrechen, break
zerknüllen, crumple
zerlegen, take apart
zerren, pull
zerschossen, shot to pieces
sich **zerstreuen**, disperse
der **Zettel, –s, –**, slip of paper
ziehen, draw, pull, go

ziemlich, rather, considerable
die **Ziererei, –, –en,** affectation, fuss
zierlich, dainty
das **Zigarettengewölk, –es,** clouds of cigarette smoke
der **Zigeuner, –s, –,** gypsy
die **Zigeunermusik, –,** gypsy music
das **Zimmer, –s, –,** room
die **Zimmerdecke, –, –n,** ceiling
zischen, hiss
die **Zitrone, –, –n,** lemon
zittern, tremble
der **Zivilist, –en, –en,** civilian
zog, *see* **ziehen; — . . . hervor,** *see* **hervor-ziehen**
zögern, hesitate
zornig, angry
zu-blinzeln, wink at
zucken, twitch; **die Achseln —,** shrug one's shoulders
zu-decken, cover up
zuerst, first, at first
zufrieden, satisfied
der **Zug, –es, ⸗e,** procession, pull, train
zu-geben, agree
der **Zugvogel, –s, ⸗,** migrating bird
zuhause (= **zu Hause**), at home
zu-hören, listen
die **Zukunft, –,** future
zuleibe: — gehen, go to work on
zuletzt, in the end
zumute: — sein *or* **werden,** feel
zunächst, first of all, next
die **Zuneigung, –,** attachment, good will
sich **zu-pressen,** become constricted
sich **zurecht-finden,** recover oneself
zurecht-machen, arrange
zurecht-rücken, adjust; **sich —,** sit back
zurück, back
zurück-prallen, start back
zurück-weichen, recede, step back
zusammen, together
zusammen-beißen: die Zähne —, set one's teeth
zusammen-brechen, collapse
zusammen-fallen, sink down
zusammengeklappt, folded up
zusammen-nehmen, pull together; **die Knochen —,** stand up
zusammen-pressen, compress
zusammen-raffen, gather together
zusammen-reden, talk nonsense
der **Zusammenstoß, –es, ⸗e,** clash
zu-schreiten, walk toward
zu-sehen, watch
zu-trauen, believe capable of
zuversichtlich, confident
zu-wenden, turn to
zwar, to be sure
der **Zweck, –es, –e,** aim, object
zwecklos, useless
zwischen, between
der **Zweifel, –s, –,** doubt
zweifeln, doubt
der **Zweig, –es, –e,** branch, spray, twig
die **Zwiebel, –, –n,** onion
das **Zwielicht, –es,** twilight
zwinkern, wink
zwitschern, twitter